IBRASA
LIVROS QUE
CONSTROEM

BIBLIOTECA "EDUCAÇÃO" – 35

Volumes Publicados

01.	*Liberdade sem Medo*	A. S. Neill
02.	*Liberdade sem Excesso*	A. S. Neill
03.	*Educação Soviética*	G. L. Kline
04.	*Educação e Desenvolvimento*	Vários
05.	*Economia da Educação*	John Vaisey
06.	*Educação é Investimento*	José Reis
07.	*Psicologia Aplicada no Ensino*	L. Derville
08.	*Técnicas Revolucionárias no Ensino Pré-Escolar*	Maya Pines
09.	*A Universidade Ontem e Hoje*	M. J. Gomes Tubino
10.	*Torne seu Filho mais Inteligente*	Joan Beck
11.	*A Criança Aprende Brincando*	P. M. Pickard
12.	*Liberdade na Escola*	A. S. Neill
13.	*Liberdade, Escola, Amor e Juventude*	A. S. Neill
14.	*Iniciação à Instrução Programada às Maquinas de Ensinar*	H. Kay, B. Dodd e Max Sime
15.	*Criatividade no Ensino*	Alice Miel
16.	*Testes em Educação*	H. M. Vianna
17.	*Diário de um Mestre-Escola*	A. S. Neill
18.	*Minha Luta pela Liberdade no Ensino*	A. S. Neill
19.	*Como Educar Crianças em Grupo*	Mary A. Porcher
20.	*A Revolução Pedagógica: Escola sem Muros*	J. Bremer e M. Von Moschzisker
21.	*Nova Escola do Futuro*	George Dennison
22.	*Método Montanari: Reeducação de Crianças Difíceis*	A. J. Montanari
23.	*Eficiência e Eficácia nas Universidades*	M.J. Gomes Tubino
24.	*Um Mestre na Encruzilhada*	A. S. Neill
25.	*Um Mestre contra o Mundo*	A. S. Neill
26.	*Educação Sexual na Escola e no Lar*	Isaac Mielnik
27.	*A Educação dos Homens Livres*	Horace Mann
28.	*Educação Pública nos Estados Unidos*	G. Bereday e L. Volpiceli
29.	*Teoria da Vida Moral*	John Dewey
30.	*Educação de Adultos*	C. Harthey Grattan
31.	*Ciência e Educação Liberal*	Banthey Glass
32.	*Conversas com Pais e Mestres*	Homer Lane
33.	*Tecnologia Educacional*	M. J. Gomes Tubino
34.	*A Arte de Ensinar – Ensine como Santo Agostinho*	Miguel Lucas

Pais Liberados Filhos Liberados

CIP-Brasil. Catalogação-na-Publicação
Câmara Brasileira do Livro, SP

F115p
Faber, Adele.
Pais liberados, filhos liberados / Adele Faber, Elaine Mazlish ; tradução de Alcione Soares Ferreira. -- São Paulo : IBRASA, 1985.
(Biblioteca educação ; 35)

1. Criança - Orientação 2. Pais e filhos I. Mazlish, Elaine. II. Título.

CDD-301.427
-173

85-0545

Índices para catálogo sistemático:

1. Conflito de gerações : Pais e filhos : Sociologia 301.427
2. Crianças : Orientação : Ética familiar 173
3. Filhos e pais : Relações : Sociologia 301.427
4. Orientação de crianças : Ética familiar 173
5. Pais e filhos : Relações : Sociologia 301.427

ADELE FABER
ELAINE MAZLISH

Pais Liberados Filhos Liberados

Tradução de
ALCIONE SOARES FERREIRA

IBRASA
INSTITUIÇÃO BRASILEIRA DE DIFUSÃO CULTURAL LTDA.
SÃO PAULO

Título do original norte-americano:

LIBERATED PARENTS/LIBERATED CHILDREN

Capa de

CARLOS CEZAR

2010

IBRASA
INSTITUIÇÃO BRASILEIRA DE DIFUSÃO CULTURAL LTDA.
R. Vinte e Um de Abril, 97 – Tel. 92-9639

03047 – SÃO PAULO

IMPRESSO NO BRASIL – PRINTED IN BRAZIL

A todos os pais, de qualquer parte do mundo,
que um dia tenham dito a si mesmos:
"Tem de haver outro jeito. . ."

Índice

Nota da Editora

As correntes de pensamento/comportamento parecem alternar-se no cenário histórico, mais ou menos como as tendências estéticas na arte e na moda. Assim, à milenar postura do *pater familiae,* do pai feudal com totais direitos sobre a vida de toda a família (em certas sociedades, com direito até de morte), que entre nós vigiu até meados deste século, sucedeu, no início dos anos 60, uma corrente de quase total permissividade para as atitudes dos filhos.

Foi a fase – por vezes satirizada em comédias e humorísticos de televisão – do "não traumatize o garoto", do "aja com mais psicologia", etc.

Essa atitude exacerbada estendeu-se inclusive ao âmbito didático, e, do modelo Summerhill, passamos de repente a uma espécie de modelo Mahagonny, vigente em especial nos colégios mais avançados e elitistas. Aí tudo era permitido ao aluno, ou quase tudo, e sobre o professor pesava uma certa obsessão constante: a de fazer com que os alunos se sentissem felizes, por vezes ao preço do sacrifício do melhor procedimento pedagógico.

Nesse universo de tendências radicais, exacerbadas, cambiando de oito a oitenta, a orientação do Dr. Ginott, enfocada neste livro, revela-se um sadio ponto de equilíbrio, um restabelecimento do bom senso na matéria. Pois, embora o equilíbrio nem sempre esteja "no meio", como queria o velho axioma latino, muitas vezes está.

Toda a orientação de Ginott poder-se-ia resumir a uma expressão: bom senso, sempre. Que sejam ouvidas ambas as partes, para o exercício de uma verdadeira justiça. Que sejam levados em conta sentimentos, idéias e reivindicações dos filhos. . . . . tanto quanto dos pais. Que ambas as partes aprendam a ouvir, acatar, debater, e, numa palavra, manter o diálogo. Negociar, sempre; fechar questão, obstinadamente, jamais! Um legítimo modelo democrático, portanto.

O que Adele Faber e Elaine Mazlish, na esteira do lendário Dr. Ginott (recentemente falecido), propõem, é muito mais do que um terapêutico receituário de formulazinhas para atacar problemas superficiais ou profundos do relacionamento pais/filhos. É, antes, uma verdadeira revisão do modelo, em que as bases filosófico-comportamentais desse relacionamento sejam reestruturadas em bases mais racionais, mais humanas.

Aliás, a locução "mais humano" é uma constante no trabalho de Faber e Mazlish, tal como o era no evangelho ginottiano. "Padrões mais humanos", "um relacionamento mais humano", ou, simplesmente, "um ser humano mais humano". Aí, para o Dr. Ginott, residia a função primordial dos pais, mais do que, como queria uma corrente mais antiga, "em fazer os filhos felizes".

O livro é escrito em tom factual, dinâmico, interessante, e nem por um momento se afasta do terreno dos fatos concretos para lançar-se em vôos ensaísticos ou meramente teóricos. Isso confere ainda maior autenticidade ao relato.

Um ponto muito importante na abordagem do Dr. Ginott: a enérgica e profunda revalidação do sentimento, de qualquer sentimento, mesmo os "feios" – a raiva, o ódio, etc. "Os sentimentos não são bons ou maus, apenas são", diz ele várias vezes. Impõe-se, apenas, aprender a lidar com eles. E é isso, em síntese, o que se propõe este livro.

IBRASA

Prefácio

Tivemos um privilégio único. Durante mais de cinco anos, fizemos parte de um grupo de pais, sob a direção pessoal do Dr. Haim Ginott – psicólogo, conferencista e autor.

Ele pertencia à rara espécie de professores capazes de apresentar conceitos difíceis com grande clareza, repetindo com a maior boa vontade aquilo que precisávamos ouvir de novo e nos revigorando constantemente com o estímulo de idéias novas.

Em contrapartida pedia-nos que experimentássemos, compartilhássemos nossas descobertas e explorássemos nosso potencial próprio.

Os resultados dessa experiência tiveram longo alcance. Enquanto lutávamos por adaptar a teoria à prática e esta à interpretação pessoal, nos conscientizamos das mudanças ocorridas em nós mesmas, em nossa família e nos membros de nosso grupo.

Devemos muito ao Dr. Ginott, que nos muniu da habilidade e das técnicas indispensáveis para que nos tornássemos mais prestativas aos nossos filhos e mais generosas para conosco mesmas. Jamais poderíamos pagá-lo.

O que podemos fazer é registrar nossa experiência e compartilhá-la com outros pais, na esperança de que venham a extrair dela aquilo que for, para eles, de alguma valia.

Agradecimentos

Aos nossos filhos: Kathy, Liz e John Mazlish; Carl, Joanna e Abram Faber, por dividirem conosco suas idéias e sentimentos ao longo dos anos. Cada um, à sua maneira, contribuiu com algo que veio enriquecer este livro.

A Leslie Faber, que passou muitas horas revisando nossos primeiros esboços, e cujos comentários e perguntas levaram-nos invariavelmente a repensar, aprimorar e aclarar.

A Robert Mazlish, que leu a primeira versão, ainda desajeitada, e soube ver nela o livro acabado. Sua confiança nos ajudou a acreditar em nós mesmas.

Aos membros de nosso grupo, com quem compartilhamos os grandes e pequenos dramas de nossas vidas. A cada encontro, nos fortalecemos com o apoio deles.

Ao nosso editor, Robert Markel, por sua sensível orientação a cada estágio do processo editorial.

Aos doutores Virginia Axline, Dorothy Baruch, Selma Fraiberg e Carl Rogers, cujos trabalhos publicados nos ajudaram a afirmar e ampliar nossa própria experiência.

À Dra. Alice Ginott, por seu caloroso incentivo e seus muitos e proveitosos comentários.

E, mais particularmente, *ao Dr. Haim Ginott,* por ter lido com cuidado e carinho nosso original, por suas valiosíssimas sugestões, e por constituir uma fonte permanente de inspiração. Agradecemos-lhe a permissão para publicação deste livro, baseado em seus princípios de comunicação com os filhos.

Nota das autoras

Logo após nos ocorrer a idéia de escrever este livro, percebemos que tínhamos um problema sobre a forma como poderíamos narrar honestamente nossa história sem violar a privacidade de cada um dos membros de nosso grupo, ou de nossa própria família. Resolvemos criar um elenco de personagens cujas experiências fossem um misto das nossas e das de outros pais e mães que conhecíamos. Jan, nossa narradora, seria o melhor e o pior de nós, e fala verdadeiramente por todas nós.

ADELE FABER

ELAINE MAZLISH

Capítulo I
No Princípio Eram as Palavras

Não mudava em nada.

Se o que eu fazia estava certo, por que tanta coisa saía errado?

Eu não tinha qualquer dúvida: se elogiasse meus filhos – afinal, eles devem saber o quanto dou valor a cada esforço seu, a cada realização – adquiririam automaticamente autoconfiança.

Mas então, por que a Jill era tão insegura?

Convenci-me de que, se raciocinasse com as crianças – se lhes explicasse calma e logicamente por que certas coisas tinham de ser feitas – elas reagiriam razoavelmente.

Mas, por que é que cada explicação suscitava um argumento da parte de David?

Acreditei realmente que, se eu não ficasse "chocando" as crianças – se as deixasse fazer sozinhas tudo o que pudessem fazer – aprenderiam a ser independentes.

Mas então, por que o Andy ficava grudado e choramingando?

Isso tudo era um tanto enervante. Mas o que mais me amolava era a maneira como eu agira ultimamente. Ah, a ironia disso tudo! Eu, que ia ser a mãe do século – eu, que sempre me sentira tão superior àquelas mães gritonas e jararacas do supermercado – eu, que me determinara a não repetir com meus filhos os erros de meus pais – eu, que achava que tinha tanto a dar (calor humano, paciência, alegria de viver) – justamente eu, entrara essa manhã no quarto das crianças, olhara para o chão todo lambuzado de marcas de dedos e dera uns berros que fariam as mães do supermercado parecerem fadas boas! Ainda mais amargas, porém, me pareciam as coisas que eu dissera: "Horrorosos. . . . . relaxados. . . será que não posso confiar em vocês nem por um minuto?" Pois foram exatamente estas as palavras que eu ouvira e odiara quando criança.

O que acontecera com minha imensa paciência? Onde estava toda aquela alegria de que eu me pretendia portadora? Como pudera afastar-me tanto do meu sonho original?

Estava nesse estado de espírito quando li uma notícia: era um anúncio, de uma escola maternal, lembrando aos pais em geral que aquela noite haveria uma palestra, dada por um psicólogo infantil. Eu estava cansada, mas sabia que iria. Será que conseguiria convencer Helen a ir comigo?

Improvável. Helen manifestava freqüentemente sua desconfiança para com os especialistas. Prefere confiar no que chama de "bom senso e instintos naturais". Ao contrário de mim, ela não se questiona muito como mãe, nem se preocupa muito com os filhos em termos de metas de longo alcance. Isso talvez porque, sendo escultora, tenha interesses externos. De qualquer modo, às vezes invejo aquele seu jeito de "deixa levar", sua total confiança em si mesma. Ela parece ter sempre tudo sob controle. . . . Embora ultimamente tenha se queixado das crianças. Evidentemente, nas últimas semanas os filhos dela têm-se engalfinhado a todo instante, e nada do que ela diga ou faça muda o quadro. Parece que nem o instinto nem o bom senso são suficientes para ajudá-la a dar um jeito nas invariáveis batalhas diárias.

Enquanto ligava para Helen, pensei que talvez, em face dos recentes acontecimentos, ela pudesse deixar de lado seu preconceito em relação aos profissionais e decidir-se a ir comigo.

Mas Helen foi inflexível.

Disse que não iria a outra palestra sobre psicologia infantil, mesmo que o conferencista fosse o próprio Sigmund Freud.

Disse que estava cansada de ouvir aquele blá-blá-blá bem intencionado sobre como as crianças deviam ter amor, segurança, limites firmes, consistência, amor, flexibilidade, amor. . .

Disse que, da última vez que fora a uma reunião destas, ficara andando pela casa, nos três dias seguintes, nervosa, tentando medir sua capacidade de "amor".

Disse que ainda não se recuperara o suficiente desta última experiência para expor-se a novas generalizações, que lhe geravam ansiedade.

E, do outro lado da linha, veio um berreiro:

– "Vou contar! Vou contar!"

– "Pode contar! Eu faço de novo!"

– "Manhêêê! ! ! O Billy jogou um negócio ni mim!"

– "Ela pisou no meu dedo!"

– "É nada. Burrão!"

E, em seguida, a Helen resmungando: "Ah, meu Deus! Alguma coisa precisa sair desta casa!"

Apanhei-a às oito.

Naquela noite falaria o Dr. Haim Ginott, psicólogo infantil e autor de um novo livro, *Between Parent and Child.* Começou a palestra fazendo esta pergunta: "O que há de diferente na linguagem que uso com os filhos?"

Olhamos apalermadamente uns para os outros.

– "A linguagem que uso", continuou ele, "não avalia. Evito expressões de molde a julgar a personalidade ou capacidade da criança. Passo longe de expressões como 'estúpido, inepto, ruim', e até de palavras como 'bonito, bom, maravilhoso', porque estas palavras atrapalham: interferem na maneira da criança. Prefiro, ao invés, palavras que descrevam. Descrevo o que vejo; descrevo o que sinto".

E disse mais: "Há pouco tempo, uma menininha, lá no meu salão de jogos, me trouxe um desenho e perguntou: 'Está bom?' Olhei e respondi: 'Vejo uma casa roxa, um sol vermelho, um céu listrado, e um montão de flores. Me faz sentir como se estivesse no campo.' Ela sorriu e disse: 'Vou fazer outro! ' ".

Aí, o Dr. Ginott disse: "Mas suponham que eu tivesse respondido: 'Lindo, você é uma artista!' Garanto a vocês que aquele teria sido o último desenho dela nesse dia. Afinal, o que mais se pode obter, depois de um 'lindo' e um 'genial'? Estou plenamente convencido de que palavras que exprimem avaliação barram a criança. Já as palavras que descrevem deixam-na livre".

E prosseguiu: "Gosto também de palavras descritivas porque elas incitam a criança a transcender suas próprias soluções para os problemas. Eis um exemplo: se uma criança derramar um copo de leite, eu diria: 'Vejo o leite derramado', e lhe daria uma esponja. Dessa forma, evito a censura e enfatizo o que precisa ser feito.

"Ao contrário, se você dissesse: 'Sua besta! Você derrama tudo! Será que nunca vai aprender?', pode estar certo de que a criança canalizaria toda a sua energia para a defesa, ao invés de canalizá-la para a solução. E então você ouviria algo assim: 'O Bobby empurrou minha mão!' ou 'Não fui eu, foi o cachorro!' ".

Nessa altura, a Sra. Noble, conhecida por sua sapiência em quase todas as coisas, levantou a mão: "Dr. Ginott, o que o senhor está dizendo é muito interessante. Mas sempre achei que o que a gente diz para os filhos não tem tanta importância, desde que eles saibam que os amamos. Ora, se o filho sente que a gente o ama mesmo, acho que se pode dizer quase tudo. Quero dizer, no frigir dos ovos, não é o amor que conta, afinal?".

O Dr. Ginott ouviu-a pensativo. "Na sua opinião, as palavras não contam muito, desde que haja amor, certo? Bem, eu vejo a coisa de outro modo. Suponha que a senhora esteja numa festa e, acidentalmente, derrame uma bebida. Parece-me que faria diferença, se o seu marido lhe dissesse, ainda que afetuosamente: 'Mão furada, outra vez? Benzinho, quando houver um prêmio para desastrados, você ganha!' ".

A Sra. Noble deu uma risadinha amarela.

"Suponho que a senhora havia de preferir que seu marido dissesse: 'Benzinho, a bebida derramou. Olha, pegue o meu lenço' "

E foi a primeira vez que vimos faltarem palavras à Sra. Noble.

O Dr. Ginott continuou: "Não pretendo descartar o poder do amor. O amor é uma riqueza. Mas, mesmo no que se refere aos bens materiais, muitas vezes descobrimos que as grandes quantias precisam ser rateadas em pequenas quantidades de dinheiro. Num "orelhão", por exemplo, uma moeda vale mais que uma nota de cem. Para que nosso amor seja proveitoso aos nossos filhos, devemos aprender a rateá-lo em palavras que possam ajudá-los — a todo instante –, como quando o leite derrama, ou como quando nos mostram um desenho e querem que o aprovemos. E mesmo quando estamos com raiva, podemos ainda usar espécies de palavras que não firam ou destruam as pessoas que nos são caras".

Aí, o Dr. Ginott falou sobre o que designou como "raiva sem insulto". Deixou claro que seria pouco realista e desnecessário, da parte dos pais, serem pacientes o tempo todo. Salientou que poderia ser proveitoso, para um pai ou mãe, exprimir sua raiva – na medida em que não viesse, com isso, a insultar o filho. Na verdade, disse ele, "Nossa raiva genuína é um dos mais vigorosos meios de que dispomos para mudar comportamentos". E perguntou:

"E como pomos isso em prática?", ao que ele mesmo respondeu: "Mais uma vez, usamos palavras que descrevam. Não atacamos a personalidade. Por exemplo: se a bagunça do quarto do filho incomoda o pai ou a mãe, estes deveriam sentir-se livres para expressar seus legítimos sentimentos – não, porém, com insultos e acusações. Não com uma expressão do tipo 'Por que você é tão relaxado e porcalhão?' Nem com esta: 'Você nunca toma conta de suas coisas; acabou com todas as coisas bacanas que já comprei pra você.' Pode ser que mesmo com palavras assim o filho se dispusesse a arrumar o quarto. Mas ficaria com ressentimento para com os pais e se sentiria sujo.

"Ora, a questão é a seguinte: de que forma poderia um pai ou mãe expressar estes mesmos sentimentos de raiva, porém de maneira proveitosa? Ainda uma vez, deveria usar palavras descritivas. Poderia dizer: 'A vista deste quarto não me agrada!' ou 'Estou vendo algo que me deixa com raiva. Roupas, livros e brinquedos devem ficar na prateleira!' ou ainda: 'Fico furioso(a) quando vejo coisas esparramadas pelo chão! Me dá vontade de abrir a janela e jogar tudo fora!"

Na platéia, um homem levantou a mão: "Dr. Ginott", disse, "quer me parecer que alguns dos métodos de que o senhor fala seriam mais adequados para um profissional experimentado. Não me entra na cabeça que uma pessoa comum seja capaz desse tipo de abordagem".

Ao que o Dr. Ginott respondeu: "Acredito muito nos pais 'comuns'. Afinal, quem se procupa mais com o bem-estar da criança do que o seu pai ou sua mãe comum? Sei, por experiência própria, que quando os pais são municiados de habilidade para se tornarem mais úteis, são capazes não só de usar essas habilidades, como também de infundir-lhes um calor humano e um estilo que só eles têm".

A palestra do Dr. Ginott prosseguiu por mais meia hora. Ele propôs a idéia de nos tornarmos "advogados" de nossos filhos. Explicou que os filhos já têm juízes de sobra, bastante jurados e promotores; e deu exemplos das maneiras pelas quais os pais poderiam tornar-se "advogados de defesa". Desenvolveu e valorizou o tema da aceitação dos sentimentos dos filhos – de todos os seus sentimentos. Descreveu como evitar os padrões autodestrutivos, como o sarcasmo, os pitos e as promessas. Quando acabou de falar, o Dr. Ginott foi cercado por um grupo de pais que desejavam falar-lhe.

Resolvemos não entrar no bolo. Ao invés disso, saímos para o ar frio da noite, entramos no carro e ficamos sentadas, quietas, enquanto o motor esquentava. Sabíamos, as duas, ter descoberto algo que nos tocara profundamente, e no entanto não conseguíamos identificá-lo. Nesta noite, ouvíramos coisas que pareciam simples o bastante para serem de utilidade imediata, mas sentíamos também que aquelas afirmações simples se baseavam numa idéia que, de tão complexa, tinha possibilidades ilimitadas.

No caminho, tentamos ordenar nossos pensamentos:

Será que éramos capazes de aplicar o que havíamos aprendido aquela noite?

E será que funcionava?

Não seria estranho dizer as coisas dum jeito novo?

E como reagiriam as crianças?

Será que chegariam a notar a diferença?

Não era tarde demais para mudar?

Será que já havíamos causado danos irreparáveis?

E. . . como iríamos descrever tudo aquilo aos nossos maridos?

Pensei na explosão que tivera pela manhã, no caso das marcas de dedos pelo chão, e disse: "Helen, acho que poderia ter evitado tudo aquilo, se tivesse dito apenas 'Estou vendo marcas de dedos pelo chão. Precisamos de uns panos de limpeza' ".

Helen olhou para mim e balançou a cabeça. "Não estou convencida disso. Você estava uma arara hoje de manhã. E não me pareceu tão brava agora. O Dr. Ginott disse: 'Se vocês sentirem determinada coisa, demonstrem-na' ".

"Tudo bem", eu disse, "mas como é isso?. . . . 'Quando vejo marcas de dedos pelo chão, fico tão furiosa que tenho vontade de pegar todos os tubos de tinta e jogá-los de uma vez na lata do lixo!' ".

"Tudo isso é muito interessante", disse a Helen, "mas será que funciona mesmo, com crianças de verdade? Poxa! Acabo de ter um pensamento horrível. Suponha que eles nunca mais tornem a derramar nada!"

Rimos, ao perceber que já estávamos, na verdade, antevendo a encrenca seguinte, e fazendo votos para que ela viesse cedo o bastante para nos encontrar ainda embaladas.

E não tivemos de esperar muito. O sol nasceu e se pôs. O leite derramou. Fomos descritivas. E... milagre! Eles pegaram o pano de chão e limparam!

Atônitas com o sucesso, embora fosse uma sorte de marinheiras de primeira viagem, achamos que tínhamos de aprender mais. Compramos o livro do Dr. Ginott, *Between Parent and Child,* e ficamos encantadas ao descobrir que estava cheio de sugestões práticas, prontinhas para serem usadas imediatamente. O simples fato de ver as palavras impressas e de sermos capazes de ler e reler certos trechos deu-nos algo a que nos agarrar.

Houve uma vez, por exemplo, em que eu estava para sair, à noite, quando meu filho mais novo, o Andy, agarrou-se às minhas pernas, gritando: "Não vá, mamãe, fique em casa!" Pedi-lhe delicadamente que me soltasse, peguei o livro do criado-mudo, tranquei-me no banheiro e abri no capítulo que tinha o título "Os pais não precisam de licença para se distrair", e li a uns 100 por hora. Ao terminar, estava pronta para sair, e disse: "Benzinho, sei que você gostaria que não saíssemos esta noite. Você gostaria que ficássemos com você. . . mas eu e o papai vamos pegar um cineminha, tá?". Devo ter dito isso aos tropeços, mas foi o bastante para que pudéssemos ir ao cinema sem a cena de costume.

Achamos muito proveitoso o capítulo sobre o elogio. Anteriormente, Helen fizera um cumprimento ao Billy, de cinco anos, nestes termos: "Você é grande, genial, o maior!" E nunca entendera por que ele geralmente protestava: "Sô, não. O Jimmy é melhor". Ou: "Pára de me gozar, tá?" Aí, ela tentou a frase prescrita pelo Dr. Ginott para circunstâncias desse tipo. No dia em que Billy deu jeito na pia da cozinha, que entupira, ela resistiu à tentação de dizer, como sempre: "Genial, fantástico! Você é gênio!" Ao invés disso, descreveu o que sentia e o que estava vendo: "Olha, eu estava aí, chateadíssima, achando que ia ter de chamar o encanador. Daí você veio com um desentupidor e em dois minutos resolveu o caso. Já pensou?" E, daquele garotinho de nada, veio o mais doce dos elogios – um auto-elogio: "Usei a cabeça. Sou um bom encanador".

Então, a nossa associação de pais e mestres mandou uma mala direta, anunciando que o Dr. Ginott ia começar um grupo de pais na nossa comunidade. Vinha um cupom, encartado, para os interessados. Mandamos os nossos imediatamente.

Já no primeiro dia, eu e Helen ficamos muito contentes pela diversidade do grupo. As mulheres cobriam uma faixa etária dos vinte e três aos cinqüenta. Também o tamanho de suas famílias variava muito, indo de um filho único a uma ninhada de seis. A maioria delas era casada, uma divorciada e uma viúva. Contavam-se entre nós donas-de-casa, professoras, empresárias, uma artista e uma musicista. Igualmente variava a formação religiosa: havia protestantes, católicas, judias e atéias.

O que todas tínhamos em comum eram os filhos.

No começo, as reuniões assumiram a forma de palestras, e cada palestra nos ensinava novas habilidades. Aprendemos sobre os limites da lógica no trato com uma criança, e sobre o poder de se falar às suas emoções. Vimos como era possível dar a uma criança, em termos de fantasia, aquilo que não lhe poderíamos dar em termos de realidade.

Para mim, adepta tão fervorosa da abordagem racional, essa visão veio como uma dádiva. Ainda posso ouvir o som de minha própria voz, no carro, explicando pacientemente a um David resmungão que todos estávamos com sede, que não adiantava nada resmungar por estarmos entalados no trânsito, que não havia jeito de pararmos para beber qualquer coisa, e que o nosso mau humor não ia fazer o carro andar mais depressa...

E que alívio era agora dirigir-me ao meu filho, na mesma situação, e dizer: "Olha, estou ouvindo um menino com muita sede. Acho que você adoraria ter um balde de suco de maçã, geladinho, agora mesmo!".

Ao que David sorriu e disse: "E se em vez dum balde fosse uma banheira, hein?". Senti-me grata ao meu novo conhecimento.

Outra técnica que fez diferença no cotidiano da casa foi a habilidade de transformar uma ameaça numa escolha: ao invés do costumeiro "Se você usar outra vez esse revólver d'água na sala de visitas, vai se arrepender!" foi substituído por: "O revólver d'água não é pra ser usado na sala. Você pode brincar com ele no banheiro ou lá fora. Escolha".

E também começamos a notar certas mudanças em nós mesmas. Em primeiro lugar, percebemos que estávamos conversando menos com nossos filhos. Aparentemente, agira sobre nós o tão repetido axioma do Dr. Ginott: "Sempre que possível, substitua um parágrafo por uma frase, uma frase por uma palavra, uma palavra por um gesto". Ao mesmo tempo que falávamos menos, descobrimos que estávamos ouvindo mais – e duma maneira diferente. Começamos a ouvir, por trás das palavras, o que a criança realmente queria dizer. Por trás da beligerante afirmação de Andy – "Você sempre leva o David aos lugares: à biblioteca, ao dentista, aos Lobinhos!" – percebi que ele queria dizer: "Você dá atenção demais ao meu irmão. Isso me aborrece".

Em vista disso, eliminei a longa explicação e fui direto ao ponto: "Você gostaria que eu passasse mais tempo com você?... Pois eu também gostaria".

Descobrimos que estávamos criando uma certa distância emocional em relação a nossos filhos. Agora, afetava-nos menos quando tinham maus modos, ou quando bancavam os galinhos, querendo enfrentar-nos. Para Helen, que sempre se sentira num campo de batalha, esta nova capacidade de não se envolver foi como uma bênção. Agora, ao invés de correr a "pegar em armas" em favor de um lado ou de outro, ela ficava calma e expedia ordens específicas, de molde a levá-los rapidamente a um tratado de paz. Quando os filhos começaram a brigar, disputando entre si o taco de golfe, ela foi capaz de dizer: "Crianças, tenho certeza de que vocês são bem capazes de encontrar uma solução boa para todo mundo". E seu grande triunfo veio uns cinco minutos depois, quando uma vozinha a chamou lá de trás, do quintal, dizendo: Mamãe, nós resolvemos: um de cada vez!".

Mas nem todos os nossos casos tinham finais felizes. Contabilizando direitinho, a coluna do "vermelho" era bastante extensa para não permitir que ficássemos demasiado cheias de vaidade. A verdade é que essa linguagem nova ainda não fazia parte de nós.

As palavras que Helen usava, bem como outras do novo vocabulário, ainda soavam estranhas aos nossos ouvidos e à nossa língua.

E também as crianças pareciam um pouco desconcertadas diante do novo vocabulário. De vez em quando, elas nos encaravam com uma expressão muito clara e que significava: "Mas quem é essa dona?". E houve ocasiões em que até nós ficávamos em dúvida: afinal, quem era 'aquela dona'?

Nossos maridos também nos olhavam com certa desconfiança. Não é preciso ser formada em psicologia para identificar a hostilidade patente numa afirmação como: "Tá bom, mãe, você é que entende. Cuide do gênio dele". Ou: "Bom, já que tudo o que eu digo parece ser errado, talvez você pudesse escrever um roteiro para mim".

E, às vezes, agíamos como a vaca daquela piadinha: ela dava um leite ótimo, mas depois chutava o balde. Fazíamos tudo direitinho, e depois, sem poder resistir mais, acrescentávamos só uma frasezinha mais: "Você vai entender já, já". Ou: "Na vida, a gente tem de aprender a engolir alguns sapos". E com isso púnhamos por água abaixo todo o nosso paciente trabalho.

Éramos vítimas, também, da tendência natural de supervalorizar toda técnica nova. Ficamos arrepiadas ao descobrir a extraordinária força do "Isto me deixa furiosa!" Parecia tão bom de dizer, e quase sempre levava as crianças a esperar atenção e a se emendarem. Foi no dia em que eu berrei: "Estou furiosa!" e pela primeira vez ouvi um "Vá se danar!", que percebi de chofre que levara longe demais uma coisa boa.

O fascínio de Helen pela fórmula de fantasia levou-a a repetir tanto o "Ah, você queria que..." para a filhinha de sete anos, que um dia Laurie se queixou: "Ih, mamãe, lá vem você de novo!"

Ao mencionar o fato ao Dr. Ginott, Helen ouviu dele: "Algumas dessas expressões têm muita força, e devem ser usadas com parcimônia. Porque, veja: um bom tempero, na quantidade certa, dá gosto. Demais, deixa a comida intragável".

Nosso curso estava se aproximando do fim, mas nossos problemas não. Houve períodos em que as crianças se comportaram lindamente – iam bem na escola, faziam amigos, entregavam-se de bom grado à exploração de seu mundo, e era então um prazer conviver com elas. Mas esses intervalos luminosos eram quase sempre seguidos duma série de tempestades que explodiam sabe-se lá a partir de que, e sem aviso prévio. (Tem sido atacado por outras crianças no ponto de ônibus... Recusa-se a ir à escola de manhã... Começou a fazer xixi na cama.) E, às vezes, as próprias técnicas de que aprendêramos a depender tornavam-se uma fonte de frustração, porque nos levavam continuamente a novas perguntas, que, por sua vez, demandavam novas respostas.

"Se eu o deixar exprimir todos os seus sentimentos, e ele me disser que odeia o irmãozinho, como é que vai ser, Dr. Ginott?".

Talvez precisássemos de outra série de sessões. O Dr. Ginott concordou em continuar. Nas sessões seguintes, houve dois sinais de progresso. O primeiro foi representado pelos sintomas de mudança em nossos filhos. Havia novos sons no ar. Helen contou que ouvira sua filha dizer a uma amiga: "Lá em casa a gente não se xinga". E nunca vou me esquecer daquela vez em que meu filho mais velho, David, entrando como um furacão no quarto do irmão, gritou: "Que raiva! Que raiva! Tenho vontade de socar a tua cabeça – mas não vou fazer isso!" e saiu ventando. Para um observador de fora, isso poderia não parecer um progresso, mas, na minha casa, era um milagre de autocontenção e menos um nariz sangrando.

O segundo elemento novo foi nosso sentido de liberdade. Pois de há muito nos preocupávamos com a nossa perda de espontaneidade. Será que íamos passar o resto da vida pesando cada palavra, cogitando do impacto de cada frase? Intelectualmente, entendíamos que o perfeito domínio de toda técnica nova implica uma renúncia temporária à espontaneidade. Até mesmo um Horowitz deve impor-se exercício, treino e uma estrita devoção à forma antes que seja capaz de dar à música sua interpretação própria.

Mas ainda nos aborrecíamos. Era tão duro não ser espontâneas, nessas relações tão íntimas e tão caras. Assim sentimo-nos muito aliviadas ao descobrir que, de repente, sentíamo-nos mais naturais, mais à vontade. Arriscamos, improvisamos, experimentamos. Já não nos copiávamos ou ao Dr. Ginott. Verdade que estávamos todas usando as mesmas habilidades básicas – mas agora começávamos a dar à música nossa própria interpretação.

Aí, terminaram as sessões. Saíamos para as férias de verão, mas com a promessa de que o grupo tornaria a se reunir no outono.

O verão passou – e com ele foi-se muito de nossa mestria, adquirida a duras penas. Um verão inteiro com crianças, crianças, crianças, tinha nos liquidado. Nós, que tocávamos uma gloriosa música em junho, tínhamos em setembro apenas umas notas amargas. Tomamos consciência de que a vida com os filhos, não importa a habilidade dos pais ou o quão encantadora seja a criança, era uma tarefa confusa e exaustiva, cheia de contratempos inerentes e necessidades conflitantes. Os filhos eram barulhentos quando queríamos sossego; reclamavam atenção quando precisávamos de tempo para nós mesmas; eram bagunçados, quando almejávamos a ordem. E as implicâncias, as altercações, as tempestades em copo d'água: "Não quero escovar os dentes!", "Por que que eu tenho de pôr pijama, hein?", "Não preciso de agasalho".

Sob o desgaste constante, descobrimo-nos resvalando outra vez para as velhas formas. O brilho dos sucessos prematuros esmorecia rapidamente. Estávamos fora de forma.

O Dr. Ginott dissera muitas vezes que essa abordagem se assemelhava ao aprendizado duma nova língua, fosse ela francês ou chinês. Percebíamos agora que estávamos fazendo algo ainda mais difícil. Ao mesmo tempo que aprendíamos essa nova língua, "desaprendíamos" toda uma vida de outro tipo de linguagem, que nos fora transmitida de geração a geração.

Frases como:

Por que você nunca...

Voce vai ser sempre...

Você nunca...

Quem fez isso?

O que que há, hein?

eram como ervas daninhas que não seriam erradicadas. Tinham um jeito diabólico de se reafirmar e sufocar os tenros brotos da língua nova, composta de frases como:

Quer que...

Tenho certeza de que você...

Então você acha mesmo que...

Seria bom se...

Assim, em meio a sentimentos confusos voltamos em setembro – um pouco céticas, mas ainda esperançosas de que pelo menos um pouco do nosso entusiasmo original pudesse ser restaurado. Quando tiveram início as sessões, percebemos que não estávamos sós em nossos sentimentos. Outras vozes nos fizeram coro. Ouvimos coisas do tipo: "Acho que dei uns escorregões nessas férias" e "Acho que esqueci tudo o que aprendi."

O Dr. Ginott ouviu calmamente estes comentários e fez então a seguinte pergunta: Qual a nossa meta principal, como pais?

Algumas arriscaram: "Melhorar as relações pais-filhos".

Outras disseram: "Encontrar maneiras melhores de nos comunicar com nossos filhos".

Outra mulher ainda, loquazmente, disse: "Produzir filhos que sejam, entre outras coisas, brilhantes, educados, encantadores, limpos e bem ajustados, é claro".

O Dr. Ginott ficou sério. Claro que este último comentário não lhe agradara. Inclinou-se para a frente e disse: "Minha visão é a seguinte: Parece-me que nossa grande meta é descobrir caminhos que possam ajudar nossos filhos a se tornar pessoas fortes e humanas".

"Pois, de que nos adiantaria ter um caçula limpinho, educado e encantador, que ficasse impassível ante o sofrimento alheio, sem tomar uma atitude?

"De que nos adiantaria criar um filho brilhante – o primeiro da classe, por exemplo – mas que usasse o intelecto para manipular os outros?

"E será que gostaríamos de ter filhos tão bem ajustados que se ajustassem a uma situação injusta? Os alemães se ajustaram bem demais às ordens dos nazistas... ao ponto de permitirem o extermínio de milhões de compatriotas!

"Entendam-me: não tenho nada contra uma criança ser limpa, educada ou sabida. Mas para mim o X da questão é: quais métodos foram usados para atingir estas metas? Se os métodos empregados foram insultos, ataques e ameaças, não tenhamos dúvida: esta criança terá aprendido também a insultar, atacar e ameaçar, e a "afinar" quando ameaçada.

"Se, pelo contrário, usamos métodos humanos, ter-lhe-emos ensinado algo muito mais importante que uma série de virtudes isoladas. Teremos mostrado à criança como ser uma pessoa – um ser humano capaz de conduzir sua vida com vigor e dignidade."

Do outro lado da sala, o olhar de Helen encontrou o meu. Era isso. Finalmente, identificávamos aquela idéia fugidia que nos sensibilizara na primeira reunião. Era o conceito de um processo de humanização – um conceito segundo o qual cada ato de relacionamento com a criança tinha sentido, servia para alguma coisa e tornava-se parte da tessitura da pessoa final em que a criança devia tornar-se. Eu começava a perceber que, ao dizer à criança "O leite derramou" e dar-lhe a esponja, estávamos fazendo mais do que usar uma técnica inteligente para lidar com um contratempo comezinho. Num nível muito mais profundo, estávamos dizendo: "Você me parece uma pessoa capaz de servir-se".

Estávamos dizendo a ele:

"Na hora do problema, não xingamos".

"Quando surge o problema, concentramo-nos na solução".

"Na hora da confusão, estendemos uns aos outros uma mão que ajuda".

Num átimo, percebi com extrema clareza que, se o próprio processo que usamos com uma criança determina o tipo de ser humano que ela se torna, eu jamais deveria tornar a sentir a mesma coisa com relação à minha tarefa de mãe. É bem verdade que as irritações cotidianas continuariam a se fazer presentes, mas eu as via, agora, como oportunidades – oportunidades para forjar o caráter e a personalidade de nossos filhos, oportunidades de afirmar os valores nos quais eu acreditava.

A mulher que dera a verbosa resposta, um pouco antes, voltou a se pronunciar: "Eu não percebia que estava fazendo um trabalho tão importante".

O Dr. Ginott sorriu: "Tudo depende do jeito de ver as coisas. Vou lhe contar um caso:

"Três operários foram abordados por um aldeão. 'O que é que vocês estão fazendo?' perguntou ele.

"O primeiro trabalhador disse: 'Estou ganhando a vida'.

"O segundo disse: 'Estou assentando tijolos'.

"E o terceiro respondeu: 'Estou construindo uma catedral' ".

Silêncio geral. A mulher assentiu modestamente.

Pensei: "Também somos operárias. Nosso trabalho é criar filhos. Nossos tijolos – nossas reações de todo instante. Nossa catedral – a consecução da plena humanidade de nossos filhos".

FILHOS SÃO GENTE

Capítulo II
Sentem o que Sentem

Desde o princípio, o Dr. Ginott objetivara comunicar-nos a importância da aceitação dos sentimentos dos filhos. E reiterava de diversas maneiras as suas convicções:

Todos os sentimentos são permitidos; as ações são limitadas.

Não devemos negar as percepções da criança.

Só depois de uma criança se sentir bem ela pode pensar direito.

Só depois de a criança se sentir bem ela pode agir certo.

Eu não tinha lá muita certeza de apreender completamente essas idéias. Seria realmente tão importante aceitar os sentimentos dos filhos? E, se fosse, o que é que isso tinha a ver com o fazer as crianças fortes e humanas?

No meu passado, os sentimentos de uma criança pareciam ter bem pouca importância. "É só uma criança; o que é que ela sabe? Do jeito que ela se comporta, a gente pensa que o mundo vai acabar". Em criança, eu tinha a nítida impressão de que os meus sentimentos não iam ser levados a sério até que eu chegasse à idade adulta. Estava acostumada a ouvir:

"Que bobagem, sentir isso".

"Você não tem motivo nenhum para ficar desse jeito".

"Você está fazendo um cavalo de batalha por nada".

Eu nunca pensava duas vezes sobre a coisa. Era daquele jeito e pronto. Mas agora, como mãe, estavam me dizendo que minha tarefa consistia em ajudar meus filhos a reconhecer seus reais sentimentos, porque era benéfico para eles saber o que sentiam.

"Você parece estar contente por ter acabado o quebra-cabeça sozinho".

"Você deve ficar chateada porque o Tommy não pôde vir à sua festa".

Diziam-nos também que todos os sentimentos de nossos filhos, mesmo os negativos, deviam ser admitidos:

"Um brinquedo tão difícil de funcionar pode ser frustrante".

"Sei que você odeia quando a Tia Harriet te belisca a bochecha".

Pude ver as vantagens de se verbalizar os sentimentos das crianças. De certa forma, facilitava as relações familiares o admitir um sentimento ao invés de lutar contra ele. Certa manhã, durante o café, David disse: "Irc! Este ovo está mole demais!" Eliminei um longo monólogo no qual eu lhe diria que ele não tinha razão, pois o ovo fervera exatamente o tempo certo, justamente como o do dia anterior, de que ele havia gostado. Ao invés disso, disse simplesmente: "Ah, sim, você gosta de ovo mais duro". Foi um bocado mais fácil do que discutir, e evitou que o "assunto ovo" ficasse fervendo numa mixórdia de maus bofes.

Mas eu ainda não entendia a grande mística que envolve os sentimentos. Então aconteceu algo que me deu uma visão de conjunto do processo.

Numa noite de tempestade, durante o jantar, houve um ribombar de trovão e a casa mergulhou em escuridão total. Segundos mais tarde, quando as luzes voltaram, as crianças pareciam apavoradas. Achei que a melhor maneira de lidar com a situação era verbalizar seus sentimentos. Quase saí com um "Bom, não foi tão ruim, foi?"; mas Ted, meu marido, falou primeiro: "Poxa, foi medonho". As crianças olharam-no com olhos esbugalhados.

Foi ótimo ele ter dito. Peguei o espírito da coisa. "Gozado", disse eu, "quando tem luz, tudo parece tão familiar, tão amistoso. Mas tire-se a luz dessa mesma sala, ainda que as mesmas coisas estejam aí, e de repente fica medonho. Não sei por quê. Mas é isso aí".

Três pares de olhos fixaram-se em mim com tal alívio, tal gratidão, que fiquei até sem jeito. Eu fizera uma constatação bastante simples sobre um acontecimento banal, e no entanto parecia significar tanto para eles. Começaram a conversar, todos ao mesmo tempo, cada qual querendo fazer-se ouvir.

David: Às vezes acho que um ladrão vai vir e me raptar.
Andy: Minha cadeira de balanço parece um monstro, no escuro.
Jill: O que me apavora mais que tudo é quando os galhos das árvores arranham a janela.

As palavras jorravam, cada criança externando em voz alta os pensamentos amedrontadores que a assediavam quando sozinha em seu quarto escuro. Nós dois ouvíamos e assentíamos. Falaram, falaram, falaram. Por fim, deram-se por satisfeitos.

No silêncio que se seguiu, sentimo-nos todos tão amados e com tal capacidade de amor, que percebemos haver tocado o cerne de um poderosíssimo processo. Não era brincadeira, esse negócio de validar os sentimentos infantis. Será que outras pessoas sabiam disso?

Comecei a bisbilhotar as conversas entre pais e filhos. No zoológico, ouvi:

Criança: (*Chorando*) Meu dedo! Meu dedo machucou!
Pai: Machucou nada. É só um arranhãozinho.

No supermercado, esta:

Criança: Tô com calor.
Mãe: Está nada. Está frio aqui.

E esta foi numa loja de brinquedos:

Criança: Mamãe, olha este patinho. Não é uma graça?
Mãe: Ah, isso é pra nenezinhos. Você não liga mais pra brinquedos de nenê.

Fiquei pasma. Esses pais e mães pareciam incapazes de dar ouvidos às mais elementares emoções de seus filhos. É claro que não pretendiam ser nocivos com suas respostas. Mas, na verdade, o que estavam dando a entender a seus filhos, sempre e sempre, era:

Você não está querendo dizer isso.

Você não sabe o que sabe.

Você não sente o que sente.

Eu tinha de me conter para não dar um tapinha no ombro desses pais e mães e sugerir que dissessem:

Estou vendo que você arranhou o dedo. Um arranhão pode incomodar a gente.

Ou: Você está mesmo sentindo calor aqui, não é? Ou: Ah, você gosta daquele patinho peludo, não é mesmo?

Eu estava a ponto de explodir. Se não podia dizer aos estranhos, podia pelo menos dizer aos amigos. Tinha de espalhar a boa nova. Telefonei para algumas amigas de longa data, com quem achei que pudesse partilhar meu entusiasmo, e lhes descrevi minhas recentes revelações. Escutaram polidamente, até mesmo com interesse. E daí veio o fogo cruzado dos "mas".

"Mas, Janet, não estou muito certa de ter entendido o que você quer dizer com 'aceitar os sentimentos, limitar as ações'. Como é que eu ia aplicar isso com o Timmy?"

Dei alguns exemplos:

"Timmy, sei que você gostaria de juntar um monte dessas florzinhas e levá-las para casa. Mas a tabuleta diz que não é pra apanhar as flores do parque".

"Timmy, estou vendo que você gostaria de morder todos os chocolates da caixa só pra ver o que têm dentro. É muito tentador, isso. O que você deve fazer é escolher um pedaço agora e outro amanhã".

"Timmy, você está uma arara com o Eric porque ele quebrou sua bicicleta. Acho que você ia querer dar um murro nele. Sei disso. Mas fale com ele, com palavras, não com os punhos".

Outra amiga me disse: "Mas, Janet, se você aceitar os sentimentos da criança, você não está na verdade afirmando estes sentimentos? Olhe: minha filha não deixa ninguém chegar perto dos brinquedos dela. Mas eu não pretendo, é claro, validar este sentimento de egoísmo. Acho importante que a Nancy cresça generosa, de forma que eu lhe digo que devemos aprender a dividir."

E, ainda de outra amiga, ouvi o seguinte: "Mas, Jan, se eu deixar que o Roger me diga o quanto odeia o bebê, será que eu não estaria justamente incentivando seus piores sentimentos – reforçando-os – e dando-lhe permissão para odiar?"

Era tão difícil explicar! Tentei dizer-lhes que ajudar uma criança a aclarar seus sentimentos não significa concordar com eles ou reforçá-los; que eu não estava falando de uma resposta aprovativa, como: "Muito bem, Nancy, você detesta dividir!", ou "Genial, Roger, você quereria estrangular sua irmã".

Que eu me referia àquele ouvir e reagir que vem do verdadeiro empenho em "sentir com" a criança em relação às suas emoções.

Que um simples e honesto "Han" ou "Estou vendo" pode significar, para o filho da gente: "Os teus sentimentos são importantes, todos eles, os bons e os maus. São parte de você. Eles não me chocam nem me amedrontam".

Que só quando postos às claras os sentimentos agressivos da criança é que ela se sente livre para mudar.

Eu não sabia ao certo se a minha boa intenção estava sendo corretamente interpretada; de modo que fiquei duplamente contente quando, dois dias depois, recebi um telefonema.

"Jan, o impossível aconteceu. Estava aqui uma amiguinha da Nancy, hoje cedo, e ela quis que eu fizesse a Nancy deixá-la brincar com um jogo novo de armar. Pela primeira vez, pensei no que a Nancy poderia sentir. E aconteceu algo estranho. Ao invés de ficar com raiva dela, percebi que estava quase carinhosa. E disse: 'Me parece que deve ser bem duro dividir um brinquedo novo. As pessoas gostam de ter as coisas novas só pra elas durante um bom tempo'. Daí eu disse para a amiguinha da Nancy: 'Quando a Nancy achar que já pode reparti-lo com você, ela avisa'. Ninguém disse uma palavra, mas meia hora depois, ouvi a Nancy dizer: 'Tá bom, Barbara, agora estou disposta a deixar você brincar com ele!".

O segundo telefonema tinha o mesmo tom de espanto. "Você não vai acreditar, Janet. Hoje cedo a nenê estava dormindo e o Roger entrou correndo para tirar o cobertor dela. Eu já estava para dar um safanão nele e dizer: 'Você já é grande, devia se lembrar disso!'. Mas me lembrei do que você me disse outro dia, sobre aquele negócio de que os bons sentimentos não se podem manifestar até que nos tenhamos esvaziado dos maus. Aí eu só segurei a mão dele e disse: 'Ô, Roddy, tenho pensado muito no quanto a nenê deve chatear você, às vezes. Mesmo quando está dormindo. Acho que o simples fato de tê-la em casa, só o fato de vê-la, deve deixar você doido'. Ele me olhou demorada e agradecidamente e disse: 'A nenê tá com frio, cobre ela'. Dá pra acreditar?"

Fiquei exultante. Estes dois casos vieram dizer-me que eu estava no caminho certo. A simples aceitação de um sentimento bastava para causar diferença; e que diferença! Ao invés de pais irritados, tentando impor seus pontos de vista adultos a crianças birrentas, aí estavam pais que tinham realmente tentado ouvir e entender – e crianças que tinham sido ouvidas, e que se sentiam entendidas: crianças liberadas para reagir com mais amor.

Aí aconteceu algo que me fez parar um pouco. Mary Sue, a melhor amiga de Jill desde o tempo do maternal, começou a debochar dela – gozava-a por usar roupas de nenê, cochichava com as outras meninas e ficavam rindo dela. Mas Jill tinha tanta confiança em sua velha amiga que parecia não perceber o que estava acontecendo. No sábado, Jill telefonou a Mary Sue, convidando-a para vir brincar. E dessa vez a Mary Sue desceu a ladeira. Disse à Jill que não ia mais ser sua amiga, e que as outras meninas também não gostavam dela.

Jill ficou arrasada. Pôs o fone no gancho e foi para o quarto. Uma hora depois, passei pelo quarto e, pela porta aberta, vi-a jogada na cama, o rosto molhado de lágrimas, olhando para o teto. De repente, tudo o que eu queria era pôr as mãos naquela Mary Sue e chacoalhá-la até que os dentes batessem. Aquela pirralha malcriada, egotista – como tivera o topete de fazer aquilo à Jill? Eu queria dizer à minha filha que a ponta do dedo mindinho dela valia mais do que a Mary Sue inteira. Queria gritar: "Filha de peixe peixinho é! Veja a mãe dela – aquela pavoa hipócrita!". Mas, acima de tudo, eu quisera ter o poder de fazer cessar o sofrimento de Jill, anelava à sabedoria que pudesse ajudá-la.

Que tipo de conselho eu lhe poderia dar? Sei que, geralmente, as crianças não gostam de conselhos. Sabia também que Jill precisava de tempo para elaborar suas próprias soluções. E, no entanto, sentia-me inclinada a resolver o problema dela. Nesse caso, a empatia parecia fora de cogitação. Eu tinha medo de que, se refletisse a dor dela, bem como sua rejeição e solidão, ela ficasse completamente destruída.

No tom mais doce que pude, falei: "Benzinho, você não pode passar a vida toda dependendo de uma única amiga. Você é uma menina tão bacana. Poderia ter um montão de amigas. Por que não chama outra pessoa pra vir brincar hoje?".

Jill rompeu em lágrimas e gritou: "Você está sempre me dizendo o que eu devo fazer! O que a faz pensar que eu não ia chamar alguém? Mas agora não vou!".

Fiquei martelando este incidente o dia todo. Se a resposta não estava em oferecer uma solução, qual era ela então? O que eu poderia ter feito para ajudar minha filha? Não se poderia esperar que eu me contentasse apenas em empatizar com ela, e que me sentasse e a ficasse vendo sofrer sem fazer nada.

Parecia haver uma limitação inerente a esta suave teoria da aceitação dos sentimentos de nossos filhos. Certamente, funcionava para os pequenos problemas; o arranhão no dedo, o brinquedo perdido, o desapontamento porque choveu no piquenique. Mas, e quanto aos grandes "arranhões", às verdadeiras perdas – a morte dum bichinho de estimação, a rejeição por parte de um amigo? Esta teoria seria adequada, ou sequer de alguma valia para o caso de se precisar "devolver" estes sentimentos? Será que eu não estaria fazendo mais mal do que bem, ao abrir estas feridas?

Levei minhas dúvidas à nossa próxima sessão. O Dr. Ginott balançou a cabeça. "Gostaria de saber a maneira", disse ele, "de convencer os pais de que o sofrimento pode promover crescimento, de que a luta pode fortalecer a personalidade. Os pais querem tanto que seus filhos sejam felizes, que muitas vezes os privam das experiências maturativas do desapontamento, da frustração e da dor. Dizem: 'Não chore, você arruma outro cachorro'.

"Ora, se os pais pudessem acreditar que fortalecem seus filhos ao identificarem emoções dolorosas, não teriam medo de dizer: 'Você perdeu o Prince. Parece que seu coração vai rebentar... . Eu sei, eu sei'. Esta, na verdade, é a melhor ajuda que podemos dar aos nossos filhos.

"Quando seu filho se corta, nada no mundo pode fazer com que o corte cicatrize imediatamente. A gente aplica um antissético e um Band-Aid e sabe que o tempo fará o resto. Para machucados do espírito, é a mesma coisa. Fazemos o curativo emocional, mas devemos compreender que o próprio processo de cicatrização é lento. Podemos dizer a Jill: "Ver a sua melhor amiga se afastar de você, depois de tantos anos, fere. Fere muito. Isso pode fazer, também, com que a gente se sinta de repente muito só'.

"Aí, a Jill pode dizer a si mesma: 'Perdi uma amiga, mas tenho uma mãe que entende' ".

Fui para casa um pouco atordoada pelo que ouvira. Eu jamais havia pensado nessas coisas: o lugar do genuíno sofrimento na vida de uma criança... O poder, o extraordinário poder de um pai ou mãe para dar conforto, simplesmente compreendendo as profundezas das emoções... Um pai – não destruído pela dor da criança, não negando-a – mas forte, ouvindo a angústia, conhecendo a dor e dando ao filho, pelo simples ato de ouvir, a mais profunda de todas as mensagens: *A gente pode agüentar.* Desde que exista uma pessoa no mundo que possa realmente ouvir-nos, realmente sentir conosco, a gente pode agüentar.

Estava perdida nesses pensamentos, quando a porta bateu violentamente. Olhei para lá e vi o Andy, de seis anos, de pé no meio da sala, o rosto crispado.

"A professora gritou comigo", disse ele, rouco. "Eu estava pegando o lápis do chão, e ela começou a berrar. Disse que eu não estava prestando atenção. Todo mundo olhou pra mim. Disse que era pr'eu ficar depois da aula e que isso ia me ensinar uma lição. E me fez ficar. E você nem sabia onde eu estava! ".

Meu coração partiu. Como devia ter sido horrível para ele! Rapidamente ocorreu-me que eu devia limpar o machucado, dizer que não foi nada, que não era caso para abatê-lo assim. Ia dizer-lhe para tentar prestar mais atenção no futuro. Um beijo, uma bolacha, e ele ficaria ótimo!

Lembrei-me então de uma outra criança, há muito tempo, ainda na primeira série, que haviam feito ficar de pé no canto por conversar. Lembrei da pintura lascada naquele canto escuro e da algazarra das crianças, na fila lá adiante, enquanto iam para casa almoçar. E a terrível quietude. Então, de repente, uma voz dura: "Pode ir pra casa, Janet. Espero que tenha aprendido a lição".

Lembrei-me de ter corrido o caminho todo, querendo gritar, querendo berrar, querendo chorar, querendo, mais que tudo, contar à minha mãe. "Não fale tanto", foi o que ela disse. "Coma. Vai se atrasar". E me lembro de ter mastigado e tentado engolir o sanduíche seco.

Puxei Andy para o meu colo. "Esse negócio é muito chato, a professora gritar com a gente". Ele jogou os braços ao redor do meu pescoço e escondeu a cabeça no meu ombro. "E a classe inteira olhando pra gente! Fica muito pior. E depois ter de ficar lá sentado, o tempo inteiro, depois que todo mundo já foi para casa... . E a gente fica esperando para ir para casa e não pode. Como é ruim, tudo isso junto!".

Eu tentara de tal forma penetrar a verdade da experiência de Andy, e me envolvera de tal maneira em consolar meu filho soluçante, que fiquei assustada ao descobrir que as lágrimas estavam correndo pelo meu rosto, e que subitamente me invadia um estranho sentimento de alívio.

Não sei quanto tempo ficamos sentados lá, nos embalando calmamente. Só sei que, quando tudo terminou, eu tinha de algum modo recuado trinta anos e tirado do canto escuro uma menininha.

Capítulo III
Sentimentos e Variações

Por longo tempo, tivemos certeza de que o simples ouvir e validar os sentimentos infantis constituía-se no tema principal duma relação humana. E, basicamente, era isso. Finalmente, porém, descobrimos que este tema tem muitas variações, e que seria útil conhecer todas.

VARIAÇÃO I

Algumas crianças têm uma necessidade de serem ouvidas que extrapola a paciência auditiva dos pais. Tem-se então de encontrar um jeito de encerrar a conversa, fazendo porém com que a criança saiba que nos interessamos por ela e por seus problemas.

Lee contou que ouvira durante dez minutos as queixas de sua filha Susie, que não conseguira um papel no teatrinho da escola.

"Tentei confortá-la", disse a Lee, "mas a Susie continuava a falar e a falar. Era mais do que eu podia agüentar. Pensei cá comigo, 'Já é hora de acabar com isso'. Então eu disse:

"Susie, estou ouvindo. Você me disse que queria muito mesmo tomar parte no teatrinho. E achava que tinha condições, tanto quanto qualquer pessoa escolhida, ou até mais. Compreendo, meu bem; só que não posso te ouvir mais. Agora vou pra cozinha, e, enquanto faço a janta, vou ficar pensando no quanto você ficou chateada e com raiva".

VARIAÇÃO II

Às vezes, os filhos exprimem seus sentimentos numa linguagem tão rude que não conseguimos ouvir, muito menos ajudá-los. Cada um de nós tem um diferente nível de tolerância, mas certas afirmações são demais para qualquer de nós.

"O papai parece um velho. Por que eu tenho de ter um pai velho, hein?".

"A minha professora é uma burra".

Quando Laurie disse a Helen: "Quero que você morra", ela retrucou: "Isso é demais! Sei que você está com raiva, mas vai ter de achar outro jeito de me dizer isso. E agora, quero ficar sozinha durante uma hora". Laurie perguntou por que, e ele respondeu simplesmente: "Pense nisso!".

VARIAÇÃO III

Por vezes, um pequeno oferecimento poderia ajudar uma criança angustiada. Nós nunca perguntávamos se a criança queria ou não, simplesmente dávamos. Um novo lápis de cera, uma caixa de doces, na hora certa, falar-lhe-iam diretamente ao coração.

Quando o filho de Roslyn, de cinco anos, queixou-se em prantos de que "mamãe gosta de todo mundo mais do que de mim", ela pôs o braço ao redor dele e disse: "Ah, você está se sentindo jogado às traças? Não é bom sentir isso, não, não. Olha, acho que é uma boa hora para a gente dividir um abraço e um chocolate".

Quando o filho de Lee ficou histérico por causa de um machucadinho microscópico que o irmão fizera nele enquanto brigavam, Lee pegou dois pedaços de gelo, embrulhou-os numa toalha de mão e deu-a a ele para que a aplicasse no braço "machucado".

VARIAÇÃO IV

Quando uma criança estava presa de forte emoção, conseguíamos por vezes ajudá-la a dar vazão a seus sentimentos por meio de uma saída criativa. O Dr. Ginott dissera que sempre havia, em casa, uma variedade imensa de materiais criativos – lápis, canetas, giz de cera, papel cartão, quadro negro, caixas, argila e assim por diante. As mulheres do grupo levaram-no ao pé da letra. Dificilmente se passava uma semana sem que tivéssemos de ouvir o relato de como uma poesia tinha sido escrita para exprimir a dor de um filho ou filha pela morte de uma tartaruguinha de estimação; ou de uma carta que havia sido escrita a uma emissora de televisão para protestar por terem tirado do ar certo programa; ou de um desenho garatujado com raiva.

Quando o filho fosse muito novinho, ou preferisse não desenhar nem escrever, o pai ou a mãe poderiam funcionar como secretária.

O filho da Evelyn, Stevie, de sete anos, chegou em casa furioso, uma tarde, vindo do acampamento. Seu instrutor tinha dito que se ele não descesse pelo escorregador de três metros e meio, do lado mais fundo da piscina, seria retirado daquele grupo de natação e teria de usar a piscina dos pequenininhos.

Enquanto o Stevie se desmanchava em impropérios, o pai dele pegou calmamente uma caneta e começou a escrever. Quando o menino parou para tomar fôlego, o pai disse: "Êi, cara, você devia mesmo estar uma arara com o seu instrutor. Ouça o que você disse: "Aquele manda-chuva pensa que manda em todo mundo. Ele é tão insignificante, odeio ele!".

Stevie ouviu, fascinado. "É, é isso", disse com convicção, "e bota aí também que eu vou empurrar ele do escorregador e segurar a cabeça dele embaixo d'água até ele se afogar".

O pai escreveu o mais rápido que pôde.

"Agora escreve que eu vou abrir o ralo da piscina e deixar a água sair toda e ele também vai entrar pelo ralo".

Também esse sentimento foi acrescentado à lista. Quando lhe foi apresentado o discurso na íntegra, Stevie assentiu vigorosamente e pediu para ouvir novamente a leitura da peça.

"Aqui está", disse o pai, passando-lhe o papel. "Pode guardá-lo e lê-lo sempre que quiser. Agora vou escrever uma carta. Faz favor, entregue para o seu instrutor amanhã. Vou dizer: "Meu filho Steven está proibido, em qualquer circunstância, de subir no escorregador de três metros e meio, até *ele sentir* que já pode".

VARIAÇÃO V

Existe uma hora e um lugar em que o sentimento do filho da gente deve fugir à compreensão, à sensiblidade e ao conhecimento da gente. O Dr. Ginott descreve isso como "deixar que o filho da gente tenha um canto na alma dele".

Ainda me lembro de quando Jill tinha quatro anos, e ficava na cama, chupando o dedo e olhando para mim.

"Sabe o que qu'eu tô pensando?", perguntou ela.

"Não", eu respondi.

"Que isso é bom", disse ela, e meteu o dedo na boca outra vez.

VARIAÇÃO VI

Há lugar, na vida de toda criança, para "a chamada"* – uma conclamação ao seu espírito de luta. Chamamos a isto "a mensagem de estímulo". Não se trata da afirmação comum que os pais fazem, achando estar fortalecendo os filhos, dando-lhes um escudo para enfrentar as duras realidades do mundo lá de fora. Não se trata daquela afirmação fria e impessoal: "Vai lá, garoto, dá-lhe, você agüenta!", mas sim de admitir compassivamente: "É, é duro, é fogo. Respeito seu empenho e tenho confiança em que você vai dar conta do negócio".

Helen, por exemplo, disse a Laurie: "Mesmo que a sua professora seja meio gozadora com você, ainda assim você aprende com ela, a despeito do jeito desagradável que ela tem!".

---

* "A Chamada" (*la Chamade*) é uma expressão popular francesa, muito conhecida, tomada ao jargão militar tradicional. É um rufar característico de tambores que incita a uma ação importante. A expressão, aqui, é nossa, já que as Autoras usam a imagem de trombetas, mais familiar aos leitores de língua inglesa, por sua conotação bíblica. (N. da T.).

E Ted disse ao Andy: "Vi a gelada que você deu naquele carinha que te gozou por você ser mais alto. Acho que você sabe que, aqui em casa, a gente costuma valorizar uma pessoa não pela altura dela, mas pelo caráter".

Mas o exemplo que mais me toca é o de Nell, que perdera o marido meses atrás. Em uma de nossas sessões, ela ventilou um problema atrás do outro, e parecia não haver solução para eles. Seu filho sentia-se desgraçado por ser órfão. Queixava-se constantemente, chegando a culpá-la por essa condição. Ela se sentia perdida.

No pesado silêncio que se seguiu, esperamos que o Dr. Ginott aplicasse o bálsamo da empatia. Ficamos espantadas quando ele a olhou intensamente e disse: "Nell, não deixe a vida derrotar você".

Os olhos dela se encheram de lágrimas e alguém, discretamente, mudou de assunto.

Na semana seguinte, Nell estava mudada. Helen perguntou-lhe como iam indo as coisas. "Não tenho bem certeza", disse ela, "mas algo mudou. Na última vez que Kenneth começou a se queixar, detive-o e disse: 'Kenneth, sei que não tem sido fácil para você desde que Papai morreu. Somos agora uma família sem pai e gostaríamos que fosse de outro modo. Mas acho que já é hora de nós dois começarmos a pensar na maneira pela qual podemos ser a melhor família sem pai!". Naquela tarde, sem dizer nada à mãe, Kenneth foi podar o gramado, que há muito não era cuidado.

Capítulo IV
Quando a Criança Confia em Si Mesma

À medida que as semanas passavam, tornei-me mais consciente do papel dos sentimentos na vida de meus filhos, e, assim, logrei diversas realizações que eram novidade para mim.

O SENTIMENTO É FATO

Os sentimentos de meus filhos haviam-se tornado para mim tão palpáveis quanto maçãs, peras, cadeiras ou qualquer outro objeto físico. Eu já não podia ignorar o que as crianças sentiam, da mesma forma que não poderia ignorar uma barricada no meio da estrada. É verdade que os sentimentos podiam mudar – às vezes, bem rapidamente – mas, enquanto experimentados, não havia coisa mais real.

Não era raro ouvir algo assim:

"Por que você toma o partido do Andy? Você sempre fica do lado dele".

Ou: "Nós nunca vamos a lugar nenhum; todo mundo vai".

Outrora, eu teria enfrentado de peito aberto esse tipo de coisa sem sentido, com toda a força de minha lógica adulta. Teria dito, por exemplo:

"Não é verdade. Muitas vezes fico do seu lado, e você sabe disso".

Ou: "Mas como é que você pode dizer uma coisa dessas? Na semana passada não fomos ao zoológico? Você tem memória bem curta".

Agora, porém, eu percebia nessas declarações uma mensagem interna, diferente. *Se a criança sente de um jeito, esse é o jeito que a coisa realmente é para ela, naquele momento.* Ao perceber isso, eu era capaz de formular outra espécie de resposta.

"Então, você acha mesmo que eu sempre tomo o partido do Andy? Estou percebendo. Obrigada por dividir seus sentimentos comigo".

Ou: "Na sua opinião, a família não passeia o suficiente. Você gostaria que saíssemos com muito mais freqüência, né? Fico contente por você ter-me dito. Agora estou sabendo".

DOIS OU MAIS SENTIMENTOS CONTRADITÓRIOS PODEM COEXISTIR LADO A LADO

Quando internalizei este pensamento, certos tipos de afirmações tornaram-se obsoletas:

"Afinal, você está ou não sentindo saudades dela?".

"Afinal, decida-se: quer ou não quer ir ao acampamento?".

Agora eu experimentava outra verdade — a verdade contida em:

"Por um lado, você está com saudade da sua amiga; por outro, ficou contente porque ela foi embora".

"Uma parte de você quer voltar para o acampamento, outra quer ficar em casa, e ainda outra parte quer experimentar um acampamento novo".

OS SENTIMENTOS DE CADA CRIANÇA SÃO ÚNICOS

Assim como duas folhas da mesma árvore não são exatamente iguais, duas crianças também não sentem exatamente da mesma forma sobre as mesmas coisas.

E foi justamente essa diferença que viemos a apreciar – a diferença que faz da criança ela própria e ninguém mais.

Eu já não podia dizer, com azedume: "Não sei por que você não gosta de sorvete. É o único da família que não gosta". Agora, eu era capaz de observar com prazer a "diferença" dele. Até mesmo o seu desagrado era uma marca de distinção: "Seu irmão adora sorvete. Mas isso não quer dizer absolutamente nada pra você. Você prefere picolé".

Tentei transmitir a mensagem de que diferença não era obrigação. Focalizei, antes, os motivos. Ao invés de dizer: "Todos os meninos entraram para o time. Por que é que você tem de ser diferente?" – eu agora dizia: "Parece que você não gosta lá muito, muito de bêisebol. Tenho notado que você tem outros interesses".

QUANDO IDENTIFICADOS E ACEITOS OS SENTIMENTOS, AS CRIANÇAS TÊM MAIS CONTATO COM O QUE SENTEM

De David, ouvi isto: "Quando você fala comigo daquele jeito, Pai, eu me sinto acusado, e daí tenho de me defender".

De Andy, isto: "Mamãe, sabe por que estou agindo assim? Porque preciso ser notado".

E de Jill: "Fiz uma caixa para mostrar como me sinto em diversas ocasiões. Chamo-a a minha caixa de estados de espírito. Tem desenhos de quando estou com raiva, alegre, furiosa, feliz, triste e chata".

QUANDO OS PAIS RESPEITAM OS SENTIMENTOS DE SEUS FILHOS, ESTES, POR SEU LADO, APRENDEM A RESPEITAR E CONFIAR EM SEUS PRÓPRIOS SENTIMENTOS

Esta observação, um tanto óbvia, nem sempre foi tão óbvia para mim. Foi preciso uma série de experiências pessoais para que eu começasse a compreender o quanto era importante ensinar uma criança a confiar em suas próprias percepções.

O primeiro incidente ocorreu quando eu e Ted fomos apanhar a bicicleta de Jill na oficina. Ela tinha então sete anos. Assim que reconheceu a bicicleta, pegou-a e saiu pedalando. Enquanto isso, o Ted ia à caixa, pagar. Logo depois a Jill voltou, contrafeita. "O breque não tá legal", disse. O mecânico ficou chateado: "Não tem nada errado com o breque. Eu mesmo trabalhei nessa bicicleta".

Jill me olhou com uma cara desconsolada. "Eu acho que não tá legal".

O mecânico manteve-se firme. "Tá só um pouquinho duro, só isso".

Jill disse timidamente: "Não é bem isso não, não está só um pouquinho duro, *parece* gozado". Aí, correu a contar ao pai.

Criou-se uma situação chata. A cara do mecânico mostrava nitidamente isso: "Dona, sua menina é bem cricrizinha. A senhora não vai tomar a palavra dela sobre a minha, vai?". Eu não sabia o que fazer. E daí, como é que eu ficava? Pois tinha tentado ensinar a Jill que a sua voz interior é digna de crédito, tentado ensiná-la a dizer a si mesma: "Estou sentindo algo, pode haver algo nisso". Por outro lado, ali estava um mecânico competente, insistindo em que não havia nada de errado com o breque da bicicleta.

Mas a carranca dele foi demais para mim. Resmunguei qualquer coisa, que eu tinha certeza de que ele estava com a razão, e que as crianças às vezes tendem a exagerar. Mas bem nesse momento Ted se impôs e disse decididamente: "Minha filha acha que há algo errado com o breque".

De má vontade, sem uma palavra, o mecânico levantou a bicicleta, suspendeu-a numa estante, examinou a roda e disse: "Vão ter de deixar ela aqui. Precisa duma parte nova no cubo. O breque gastou".

Eu fiquei tão abalada com o que quase acontecera, que prometi a mim mesma "Nunca mais!".

Semanas mais tarde, eu e Jill estávamos esperando abrir o farol, num cruzamento movimentado. Tomei-a pela mão e começamos a atravessar a rua, mas ela me empurrou. Quase externei meu desagrado, mas me lembrei e disse: "Jill, fico contente por ver que você confia no seu sentido de oportunidade, no seu sentido do que é seguro para você. Então, vamos atravessar quando lhe parecer bem, demore o quanto demorar".

E, enquanto lá ficávamos, tremendo durante cinco minutos, o farol abriu para nós umas dez vezes, e eu disse a mim mesma que qualquer pessoa que estivesse assistindo à cena me acharia doida. Talvez eu estivesse supervalorizando esse negócio de ensiná-la a respeitar seus sentimentos.

Então aconteceu algo que mudou para sempre meu modo de pensar. Era uma tarde quente de verão. Jill irrompeu furiosa pela casa adentro, o maiozinho ainda molhado e uma expressão estranha.

"Tava ótimo lá na piscina, com aquele garotão que nós conhecemos", disse ela. "Ele brincou de 'pega' co'a gente dentro d'água, daí, depois, levou eu e a Linda lá pro lado das árvores. Perguntou se podia lamber os meus dedos do pé. Disse que ia ser gozado".

Senti um aperto no estômago. "E daí?" perguntei.

"Eu não sabia o que fazer. A Linda achou que ia ser gozado, mas eu não quis saber. Fez-me sentir... Não sei".

Eu disse: "Você quer dizer que havia qualquer coisa, naquilo tudo, que não parecia legal para você, mesmo você não sabendo direito o que era?"

"É, foi isso aí", assentiu ela, "e daí eu corri para casa".

Tentei fazer com que ela não percebesse meu grande alívio. O mais casualmente que pude, eu disse: "É, você confiou nos seus sentimentos, e eles lhe disseram que fazer, não foi?".

E então me ocorreu a enormidade da coisa. Será que o fato de uma criança confiar em si mesma, em suas percepções, ajudá-la-ia a manter-se a salvo? E, se negarmos à criança as suas percepções, será que estaremos embotando sua capacidade de sentir o perigo, e, com isso, tornando-a vulnerável à influência daqueles a quem não importa o bem-estar dessa criança?

O mundo exterior aplica-se com afinco a tornar a criança surda aos seus mecanismos internos de alarme:

"E daí, se não tiver salva-vidas? Você sabe nadar".

"Não há motivo para medo. Mesmo que venha um carro, você tem tempo de sobra para desviar dele".

"Não seja frangote. Todo mundo experimenta isso. Não vicia, não".

Será possível que, às vezes, a própria sobrevivência da criança dependa de sua confiança em sua vozinha interior?

Um ano atrás, se alguém tivesse me perguntado sobre o alcance e o significado de se validar os sentimentos infantis, eu teria respondido, inconsistentemente: "Bom, acho que ajuda a se ter menos atritos, e certamente não faz mal nenhum".

Agora, quem me fizesse a mesma pergunta teria uma resposta mais apaixonada. Pois hoje estou profundamente convencida de que, quando dizemos a uma criança que ela não sente o que está sentindo, estamos despindo-a de sua proteção natural. E não é apenas isso. Estamos confundindo-a, desorientando-a, dessensibilizando-a. Forçamo-la a construir um mundo falso de palavras e mecanismos de defesa que não têm nada a ver com sua realidade interior. Separamo-la de quem ela é. E, quando não permitimos que ela saiba o que sente, acho que ela se torna menos capaz de ter pena dos outros.

Ah, mas quando reconhecemos a realidade dos sentimentos da criança, que dádivas esplêndidas produzimos: a força para agir segundo suas admonições internas... a possibilidade de ter um coração afetuoso... a oportunidade de estar em contato com um ser humano singular: ela mesma.

Capítulo V

Deixar Ir: Um Diálogo Sobre a Autonomia

Helen tinha algo em mente. Telefonou perguntando se podia dar um pulinho até em casa. Assim que ela entrou, vi que estava agitada. Ficou lá, parada, sem tirar o casaco, e se lançou num longo monólogo.

"Jan, não sei se você percebeu, mas eu quase não consegui agüentar aquela sessão de ontem. Houve qualquer coisa na discussão que me deixou tão pouco à vontade! Sei que isto pode soar um tanto paranóico, mas continuo achando que cada palavra que saiu da boca do Dr. Ginott era uma carapuça para mim.

"No começo não reagi assim. Quando ele disse: 'Uma de nossas metas mais importantes é ajudar nossos filhos a se separar de nós', pensei: 'Isso é evidente por si mesmo. Ninguém quer que um filho de trinta anos continue a morar em casa!'... Mas, quando ele continuou, e disse: "O que dá a medida de um bom pai ou mãe é aquilo que ele não pretende fazer pelo filho", eu me encolhi por dentro. 'Meu Deus', pensei, 'se essa é a medida de um bom pai ou mãe, eu simplesmente não posso ser medida' ".

Fez uma breve pausa e continuou a falar, mais para si mesma do que para mim.

"Por outro lado, se eu faço tanto pelos meus filhos é só porque realmente acredito que seja para o bem deles. Se o Billy esquece o lanche e eu não levo o lanche à escola, ele fica chateado e passa fome. Ele não come aqueles lanches da cantina... . Se não tomo os pontos da Laurie antes das provas, ela vai mal e fica desincentivada. Se não levo os dois de carro à escola, quando está chovendo ou fazendo muito frio, eles pegam resfriado, é batata".

De repente, ela voltou-se para mim. "Agora, isso é tão ruim? Não é para isso que existem os pais – para ajudar e proteger os filhos? No entanto, depois de ouvir o Dr. Ginott dizer e tornar a dizer 'a maior ajuda é não ajudar', já não tenho tanta certeza. Pode ser que o que eu esteja fazendo não seja bom para eles".

Helen se encaminhou para a sala de visitas, e eu fui atrás. "Mas, quem é que pode dizer que ele está certo?", resmungou. "Você sabe, especialistas já erraram, antes! Ou talvez possa haver algumas coisas que eu faço pelas crianças que elas poderiam fazer por si mesmas. O Billy já tem sete anos e ainda vai ao meu quarto toda manhã para que eu o penteie, ele não sabe se pentear direito; mas quando acabo de penteá-lo ele fica tão bonitinho, tão engraçadinho... . E não consigo acreditar que algo tão inocente quanto pentear uma criança possa contribuir para torná-la menos autônoma!"

E desabafou: "Autônomo! Fiquei num tal estado, depois da última sessão, que fui ao dicionário para ver se eu ainda sabia o que significava a palavra. Acho que estava esperando que a definição literal da palavra fosse pular de pára-quedas. Engano meu. De acordo com o *Webster,* autônomo quer dizer que se auto-regula, que se autogoverna, autodirigido e separado. É claro que isso não se aplica ao meu filho, nem aos meus filhos. Eles ainda estão na fase de me perguntar o que devem vestir para ir à escola, todo dia, e – o que é pior – eu ainda digo o quê".

"Helen", disse eu, "você está sendo dura demais consigo mesma!"

Ela me ignorou. E prosseguiu em seu desabafo: "Uma descrição mais adequada dos meus filhos seria 'que se orienta pela mãe, que é governado pela mãe, dirigido pela mãe'. Quanto a 'separado', quando penso nisso não sei se rio ou choro. Às vezes me sinto tão ligada a eles que não sei direito onde terminam eles e começo eu. Laurie tira 10 numa prova e me parece que eu tirei 10.

Billy não entra no time, e sinto como se eu não tivesse entrado no time".

Helen afundou pesadamente no sofá. "Não é como se eu não tivesse ouvido suficientemente os princípios da autonomia. Eu simplesmente pareço não ser capaz de aplicá-los. O que é que o Dr. Ginott está sempre dizendo? 'O intelecto só pode absorver aquilo que as emoções permitirem'. Bem, parece evidente que as minhas emoções não têm deixado muita coisa entrar no meu cérebro".

Sentei-me ao lado dela. Ambas franzimos o cenho e olhamos para o chão. Eu não sabia o que dizer. "Helen", perguntei debilmente, "deixa eu ir buscar minhas anotações? Acho que poderia ajudar".

"Suas anotações!", exclamou ela. "Você não precisa de anotações. Por que acha que vim procurá-la? É porque tenho visto com que facilidade você deixa os seus filhos se virarem por si mesmos. Ainda me lembro daquele dia de inverno em que Jill veio para casa de shorts e camiseta de ginástica. Se tivesse sido a Laurie, eu teria ficado furiosa, e quereria saber onde estava o casaco dela. Você não. Quando a Jill disse, 'Mamãe, o motorista do ônibus disse para eu pegar o casaco quando viesse para casa. Que que você vai me fazer?' Nunca vou esquecer a sua resposta. Muito calmamente, você disse: 'Num dia frio, o mínimo que você pode fazer é pôr seu casaco, você mesma!'.

"E houve também outra que nunca vou esquecer. Foi naquele dia em que o David irrompeu pela casa adentro, gritando: 'Esqueci o violino outra vez. É a terceira semana seguida! Daqui para frente você tem de me lembrar, é toda terça-feira'.

"Sabe o que você fez? Assentiu, compreensivamente, e só disse algo do gênero 'Ah, deve ser muito difícil lembrar dessas aulas, uma vez por semana, não é mesmo, David? Mas conheço você. De uma maneira ou de outra, você vai achar um jeito de se lembrar por si mesmo' ".

"Sabe o que eu teria feito? Teria escrito um lembrete deste tamanho para eu me lembrar de lembrá-lo toda terça-feira. O que estou querendo dizer, Jan, é que você é natural".

Ouvi-a com interesse. Será que a coisa era natural para mim? E por que seria? Tentei lembrar de como era a coisa quando eu era criança. Meus pais eram, ambos, imigrantes — trabalhavam muito, estavam sempre ocupados; minha mãe sempre cozinhando e limpando; meu pai constantemente preocupado em tentar manter "andando" seu negocinho. Vestir-nos e alimentar-nos já era bem duro para eles. Esperavam que fizéssemos o resto sozinhos.

E fazíamos. Encarregávamo-nos de devolver nós mesmos os livros à biblioteca, tomávamos o ônibus ou o metrô quando tínhamos de ir a qualquer lugar, e, na escola, resolvíamos sozinhos os nossos problemas. Só metíamos nossos pais nos nossos negócios escolares quando eles tinham de assinar o boletim. E, mesmo nessas ocasiões, a ênfase não era para nossas notas, mas sim para a assinatura deles. Ainda posso ver meu pai limpando um pedaço da mesa da cozinha, sentando-se cerimoniosamente, para, em seguida, pôr-se a escrever, orgulhosa e penosamente, seu nome completo – em inglês.

Acho que meus pais me fizeram realmente um favor. Não foi exatamente uma opção, da parte deles, dar-me a minha autonomia. Provavelmente nem saberiam o que queria dizer a palavra; mas, de qualquer modo, eu a consegui – por omissão.

Falei disso à Helen.

"Percebe que presente eles lhe deram?" disse ela. "Ah, a minha infância foi tão diferente! Tinha que dar conta de praticamente tudo à minha mãe: das minhas roupas, das minhas notas, de onde eu ia, dos meus amigos. Ainda me lembro de quando voltava de um encontro, sabendo que as luzes estariam todas acesas e que meu pai e minha mãe estariam me esperando. Não conseguiam dormir até que eu lhes desse conta de tudo, tim-tim por tim-tim. Às vezes acho que eles se divertiam mais que eu".

"Poxa, devia ser um saco!"

"Não, nem tanto. Eu não sabia que existisse outro modo de vida. Mas estou vendo em que é que a sua formação contribuiu para lhe dar uma vantagem. Agora tenho o quadro todo. Você teve muita independência, e é por isso que é tão fácil para você transmitir isso aos seus filhos".

"Devagar com o andor", disse eu. "Talvez a minha formação, especificamente, tenha ajudado, mas as técnicas que emprego agora não me vieram dos meus pais. Sempre pensei, por exemplo, que toda pergunta exigisse uma resposta. Jamais me teria ocorrido *não* responder às perguntas dum filho. Foi só depois que o

Dr. Ginott falou de como a criança precisa de ar e espaço para explorar seus próprios pensamentos, e de como os adultos, com suas respostas prontas, violam o direito infantil de pensar, que comecei a me refrear.

"A primeira vez em que, deliberadamente, não respondi a uma pergunta, pareceu-me muito estranho. Uma manhã, o David perguntou: 'Você acha que o Jimmy e o Tommy iam se dar bem? Eles vão vir para casa comigo hoje'. Bem, era a pergunta mais provocativa que me faziam nos últimos dias! Já me preparava para lançar-me a uma elaborada análise da personalidade dos dois meninos, e a coroá-la com uma predição sobre o futuro desse relacionamento, quando de repente me lembrei. Segurei a língua e disse: "É uma pergunta interessante. O que é que você acha, David?". Ele pensou um pouco, depois disse: 'Acho que eles primeiro vão brigar, depois vão ser amigos' ".

Pensei que a Helen fosse rir do caso, mas ela, ao invés, olhou-me com tal intensidade que me senti impelida a continuar.

"Lembra-se da história que o Dr. Ginott nos contou, daquele marido que não queria deixar a mulher aprender a dirigir? 'Olhe, benzinho, ele dizia, não há motivo nenhum para você ter a dor de cabeça de dirigir. Enquanto eu estiver por perto, peça e terei prazer em levá-la aonde você quiser'.

"Coloco-me na posição da mulher, e então dá para ver, de imediato, o quão frustrados os filhos da gente devem se sentir quando os adultos assumem o comando e não os deixam fazer as coisas por si mesmos. E penso nos milhares de pequenas maneiras pelas quais um pai ou mãe pode levar seu filho a sentir-se desvalido e dependente. Mas isso, é claro, sempre em nome do 'amor'.

"A mamãe vai abrir o pote para você, querido".

"Isso, deixa eu abotoar para você, xuxu".

"Quer que eu ajude na sua lição de casa?".

"Já arrumei a roupa para você, benzinho".

"Estas coisas todas parecem sempre tão inocentes, e os pais têm a melhor das intenções, mas cada frase desse tipo está sempre reforçando uma coisa: 'Você precisa da mamãe. Não pode se cuidar sozinho' ".

"Agora, não pense que essa nova maneira de ver as coisas tenha me inspirado a ir direto para casa e a fazer tudo diferente. Não foi assim, não. Tive de ouvir exemplo após exemplo, de outras mulheres, antes de começar a fazer mudanças em casa.

"Helen, você sabia que eu costumava planejar a partida das crianças, toda manhã? Senão, como é que elas iam poder juntar os lanches, livros, tênis, óculos, anotações, dinheiro, luvas de boxe e botas? Eu tinha de estar lá para segurar os casacos, fechar os zípers, amarrar o capuz, puxar a bota e ficar "cutucando-os" com relação à hora.

"Daí, uma manhã, obriguei-me a sair da sala e gritei: 'Me avisem quando estiverem prontos, tá?'. Durante uns dez minutos fiquei sentada na cama como uma peça obsoleta de maquinária. Por fim, quando eles entraram, aos trambolhões, para se despedir, todos agasalhados e satisfeitos consigo mesmos, me pareceu de repente sem qualquer importância que os botões estivessem abotoados ou desabotoados, que o grande estivesse com as luvas de boxe do pequeno, etc."

Helen continuou a olhar-me com um interesse quase dolorido. Tentei pensar noutro exemplo. "Vou lhe contar uma coisa que talvez nunca tivesse acontecido, se, na época, eu já soubesse usar conscienciosamente minha nova técnica. David tinha oito anos, e um dia me disse que precisava de dinheiro e que queria arrumar emprego. Foi quase insustentável dizer-lhe que ninguém daria emprego a um menino de oito anos. Mas foi naquele dia em que o Dr. Ginott dissera enfaticamente: '*Não afastem a esperança; não preparem a criança para um desapontamento*'. Daí, tudo o que eu disse foi: "Entendo". Na hora que se seguiu, era difícil de acreditar: o David pegou a lista telefônica, selecionou o tipo de emprego que ele achava que podia arranjar, selecionou as lojas da região e fez ligações e falou com os gerentes das lojas. Por fim, ele me disse: "Sabe que a gente precisa ter catorze anos e carteira de menor para arrumar emprego? Quando eu tiver, vou trabalhar na loja de ferragem. O dono lá é um cara legal, e eu gosto de lidar com ferramentas'.

"Helen, você percebe que eu estava a um passo de meter o bedelho e privá-lo de toda aquela experiência? A minha mãe mesmo teria dito: 'Que besteira, menina, acha que alguém vai dar emprego a uma menina de oito anos?' ".

Helen recuou. "Tá bom, Jan, já chega. Antes eu estava deprimida. Agora já vejo uma luz no fundo do túnel".

Passou-me pela cabeça que eu estava sendo inoportuna, mas estava embalada demais para parar. "Helen, sabe o que mais me agrada nisso tudo? O fato de não precisar mais ser um sargento mandão. Antes eu dava ordens o dia todo: 'Limpa o brinquedo! Lava as mãos! Põe a galocha! Fecha a porta!'. Agora, é tão gratificante poder descrever um problema ao invés de berrar uma ordem! Adoro dizer, quase cantando: 'Meninos, a porta está aberta!', ou 'O homem do tempo disse que vai chover hoje!' ".

Helen levantou-se e pegou o casaco. "Jan, não agüento mais. Você está ouvindo o que diz? 'Gratificante', 'adoro', 'é agradável', 'dizer quase cantando'. Bom, eu não canto. Não faria o meu tipo. Não é do meu feitio".

"Olhe", disse eu, um pouco enfadada, "não quero medalhas, mas esse "tipo" de que você falou é algo que foi construído. Você se sentiria melhor se eu lhe dissesse o quão idiota e desacorçoada me senti enquanto construía o 'tipo' novo? E se eu lhe dissesse, por exemplo, que no começo não conseguia sequer me haver com algo tão simples quanto ficar quieta quando alguém fazia uma pergunta ao meu filho?".

Helen tornou a sentar-se.

"Aconteceu o ano passado. Minha tia Sofia veio me visitar e perguntou ao Andy quantos anos ele tinha. Eu disse a mim mesma, 'Não vou falar por ele. É importante que a criança tenha a oportunidade de responder por si mesma'. Mas, quando o vi olhando para ela de boca aberta, que nem o bobo da aldeia, não pude me conter. E antes que me desse conta, lá estava eu, apressando-me em dizer 'seis!' ".

"Me sinto um pouco melhor", disse a Helen.

"Talvez te anime, também, saber que alguns dos princípios mais fáceis foram os que tive maior dificuldade em aceitar. Quase me ofendi quando o Dr. Ginott falou sobre depender mais de outras pessoas para ajudar-nos com os filhos. Lembra-se de quando ele disse: 'Perguntem a si mesmas: nesta situação, quem pode ser mais efetivo com meu filho – o vendedor, o professor, o dentista ou a mãe?'.

"Aí eu parei com isso duma vez. Afinal, qual a pessoa "de fora" que poderia conhecer meus filhos tanto quanto eu? E imagine, então, que choque foi para mim descobrir que a mais boba afirmação, vinda "de fora", tinha sobre eles um impacto que eu não conseguiria nunca – justamente porque era uma afirmação vinda "de fora".

"Por exemplo, eu vinha fazendo acrobacias verbais há mais de um mês, tentando levar o David ao barbeiro. Nada funcionava. Daí, um dia, ele chegou dizendo, 'Manhê, quero cortar o cabelo hoje à tarde'. Sabe por que, Helen? Foi o inspetor de alunos, na escola. Ele disse, 'David, tá precisando cortar o cabelo, hein!'.

"E vou te contar uma coisa que foi ainda mais dura pra mim – e continua sendo. É não me meter nos negócios dos meus filhos. Sinto uma verdadeira coceira, uma compulsão de perguntar e comentar cada coisinha. Você percebe o que eu *não digo* quando a Jill chega em casa? Eu não digo 'A professora gostou da composição? Que qu'ela disse? A lição de matemática em que eu te ajudei estava certa? Teu vestido novo tá uma gracinha. Alguém notou?'.

"Sabe que é preciso a gente se conter para dizer apenas, 'Ôi, abobrinha', e deixar que ela conte o que achar que seja importante?".

Pela primeira vez naquela tarde a Helen sorriu: "Até que enfim! Finalmente você citou a única coisa que não faço para meus filhos! Ouvi durante tanto tempo os incessantes comentários da minha mãe, e em tais doses, que não teria coragem de infligi-los aos meus próprios filhos.

"E ainda ouço, a cada visita semanal: 'Você está com cara de cansada, querida. Está descansando o suficiente? O Jack sempre chega tão tarde do trabalho? Por que você espera até o último minuto para tirar a comida do *freezer?* Não dá tempo de descongelar. Não quero interferir nos seus hábitos, meu bem, mas para mim a carne fica mais gostosa se descongelar bem antes' ".

"Quando ouço isso, Jan, saio do sério. De repente, me vejo explicando que durmo bastante, que o Jack anda muito ocupado, ou então defendendo a tese do aquecimento da carne congelada, tranqüilizando minha mãe que o jantar vai sair na hora..."

"Sabe, Jan, o simples fato de dizer essas coisas em voz alta me faz ver como é desagradável. É como dizer ao filho da gente 'Quero estar ao par de tudo que acontece com você. Gostaria de mastigar cada pedacinho da sua vida. Você não saberia se virar sem a opinião da mamãe, a aprovação da mamãe, a orientação da mamãe'.... E o pior é que os constantes comentários e perguntas roubam a criança do seu tempo – tempo para que a experiência dela se faça, se consolide e dê seus próprios frutos".

"É isso aí!", exclamei, entusiasmada. Olhei bem para ela. Alguém que pudesse expressar-se com tal eloqüência provavelmente saberia mais do que ela pensava saber.

"Helen", disse eu, "vou mudar de tática. Por um momento você quase me convenceu de que era uma mãe superprotetora e mandona. Se eu tivesse parado para pensar, um minuto, teria percebido que não era bem assim".

Helen parecia meio confusa.

"Aquela vez da Laurie, aquele negócio do concurso de cartazes Brownie", acudi.

"Ah, aquilo", disse a Helen, sem muita convicção.

"É, aquilo! Você teve uma dúzia de oportunidades de se meter. A Laurie tentou de todo jeito fazer você decidir por ela. Ela seguia você pela casa toda, perguntando, 'Mamãe, que qu'eu faço, hein? Será que eu devo entrar no concurso, ou não? Será que eu posso ganhar?'.... Lembra o que você respondeu?"

Helen balançou a cabeça.

"Você pôs a decisão exatamente onde deveria pôr: nas mãos dela. Disse assim, 'Você está pensando em entrar num concurso. Ah, isso é legal! E está imaginando se poderia ganhar... Laurie, o que é que você acha?' Ela segurou a respiração e disse: 'Vou tentar'.

"Bom, daí você poderia ter dito: 'Ah, uma boa decisão. Afinal, quem não arrisca não petisca'. Mas não, você não disse. Em vez disso, deu a resposta que mais poderia ajudá-la: 'Ah!'.

"Mas o que mais me surpreendeu foi quando, semanas depois, a Laurie veio para casa com uma menção honrosa. Você poderia ter-se saído com algo do tipo 'Laurie, você é genial, estou tão orgulhosa de você!' Mas limitou-se a abraçá-la bem forte e a dizer: 'Laurie, você deve estar tão orgulhosa!' Ah, e o jeito que ela ficou, tão cheia de si!".

"E dane-se o resto. Qualquer mulher que seja capaz de participar tão claramente do sucesso da filha sem tomá-lo para si sabe muito mais da matéria do que está pensando que sabe".

Helen ficou meio constrangida. "É bem provável que eu tenha me comportado direito porque você estava lá. Quer dizer, eu posso dar um *show,* quando tem alguém por perto, mas queria que você me visse, quando não tem ninguém. Jan, não sei por que sou a única pessoa que se embanana tanto com esse negócio de autonomia. Ontem, por exemplo, foi para mim uma verdadeira tortura ter de sentar lá, naquela sessão, e ouvir todos aqueles casos de gente que se saiu bem.

"Você ouviu a Roslyn? Parecia perfeitamente à vontade quanto ao fato de a filha ter-se atrasado para a escola. Ela tinha tanta certeza de que um bom pito da professora funcionava mais do que ela ficar implicando todo dia!

"Eu já não poderia agir assim. Me sentiria na obrigação de proteger a Laurie do descontentamento da "tia".

"E veja a Lee. Recusou-se a brigar com os filhos, que estavam brincando na neve sem luvas. Disse-nos que tinha certeza de que eles iam entrar para pegar as luvas, quando sentissem bastante frio, e que se contentaria em esfregar-lhes as mãos ou dar-lhes uma bebida quente.

"Eu teria me apavorado. Já ia achar que eles podiam se enregelar, que as mãos poderiam gangrenar, essas coisas.

"E a Katherine, então? Achou a lancheira do filho na mesa da cozinha e não se sentiu na obrigação de sair correndo para a escola, para levar-lhe o lanche. Acho que ela pensou que, acontecesse o que acontecesse – quer ele pedisse dinheiro emprestado à "tia", ou pegasse metade dum sanduíche dum amiguinho, ou mesmo se ficasse com fome – de qualquer forma ele não ia morrer. Já eu teria agido de forma tal, que ele ia sentir não poder sobreviver sem a mãe.

"Percebe, Jan, não é que eu não saiba o que deveria fazer, é só que não posso me forçar a fazê-lo. Vai contra os meus instintos naturais – de ajudar, de proteger, de dirigir... Esse é o meu problema".

Eu queria sacudi-la. "O negócio é que esse não é o seu problema! É o problema de todo pai ou mãe. Você diz que não é natural para você conceder autonomia. Vou te dizer o que é que é natural para os pais. É natural querer segurar, proteger, controlar, aconselhar, dirigir. É natural querer saber-se necessário, importante, vital para os filhos.

"O outro jeito é que não é natural. Separar dos nossos os desapontamentos e esperanças dos nossos filhos, deixar que se batam sozinhos, torná-los dispensáveis. Deixá-los ir. É milagre que algum pai ou mãe consiga fazer isso, afinal".

Helen ficou quieta durante muito tempo. Por fim, quando falou, foi tão pausadamente, e numa voz tão baixa, que tive de inclinar-me para ela, para poder ouvi-la.

"Acho que se poderia dizer que dar autonomia ao filho da gente é, na verdade, uma forma de dar-lhe amor... Existe maior prova de amor do que deixá-lo usar sua própria força para continuar a viver?... Do que deixá-lo experimentar por si mesmo as coisas, mesmo as desagradáveis?... Quase se pode dizer que qualquer outra forma de agir não é amorosa, e sim odiosa. É como não deixar a pessoa viver".

De repente, Helen deteve-se e caminhou para a porta.

"Onde é que você vai?", perguntei.

"Para casa", ela disse. "Tenho algo para dar aos meus filhos".

"Hein? O quê?", perguntei.

Ela voltou-se e sorriu. "Um pouco de uma saudável indiferença", disse.

Capítulo VI

"Bom" Não Chega: Uma Nova Maneira de Elogiar

Roslyn, uma jovem mãe zelosa e aberta, deu início à nossa sessão seguinte. Descreveu, com detalhes cheios de vida, um encontro casual que tivera com uma antiga colega de quarto do colégio.

"Dei uma olhada para ela e fiz a coisa mais estranha do mundo: fingi que não a conhecia. Não sei por quê. Ela sempre foi muito legal. Mas, de alguma forma, tinha um jeito de fazer com que eu me sentisse tão... insegura... meio burra.

"Por um momento, pensei em ir para o outro lado, e daí pensei comigo 'Isso é ridículo! Sou uma mulher feita, tenho família'.

"Oi, Márcia!' falei casualmente, como se acabasse de notá-la. 'Depois de todos esses anos!'.

"Ela ficou tão contente por me encontrar que me senti bastante cachorra por tentar evitá-la. Ela me abraçou e disse 'Roslyn, você mora por aqui? Acabo de mudar para o bairro!'. Dali a minutos estávamos conversando sobre os velhos tempos e trocando fotos de nossos filhos. Daí, ela me perguntou o que eu estava fazendo de interessante, para mim mesma. De certa forma eu não queria contar. Quer dizer, como é que a gente vai contar para os outros que a nossa principal atividade fora de casa é ir a uma aula para aprender a ser uma mãe melhor? Mas, quando ela contou que estava lecionando para crianças excepcionais, eu de repente pensei 'por que não?'. Afinal, tudo o que aprendemos aqui poderia ser extremamente útil a uma professora.

"Aí, comecei a descrever nosso curso. Contei a ela que estávamos aprendendo a exprimir nossa raiva sem causar dano, que estávamos ajudando nossos filhos a tornarem-se mais autoconfiantes, e falei das coisas maravilhosas que aconteciam uma vez que aprendemos a aceitar os sentimentos de nossos filhos. Ela ouvia com grande interesse, até que mencionei a nova maneira de elogiar. Aí voltou seu velho olhar de desaprovação.

" 'Descrever o que se vê ou sente?', disse ela, com desdém. 'Não entro nessa, de jeito nenhum. Por que entrar nessa elocubração toda, quando a gente pode fazer com que a criança saiba, sem mais delongas, o que a gente pensa? Não vejo nada de errado em se dizer a um adolescente que nos mostra um pega-panela bem feitinho que o trabalho dele é bom. Também não vejo nada de mal em se dizer a ele que o trabalho está fraco, se estiver. Nunca acreditei em métodos de embromar os filhos' ".

"Tentei explicar a ela que o fato de descrever não implicava em embromar; que, pela descrição, estávamos simplesmente afastando os julgamentos de valor.

"Isso a aborreceu mesmo. 'E o que há de errado com julgamentos de valor?' perguntou, gelada. 'A tarefa do professor é dar julgamentos realistas de valor. Como é que a criança vai fazer algum progresso, se não for criticada?'

"Além disso, o que realmente importa é que meus alunos saibam que sou honesta. Não preciso recorrer a truques. Se eles cometem um erro, aponto-lhes o erro, no ato. Se fazem algo estúpido, não meço as palavras, digo-lhes com todas as letras: 'Isto foi estúpido' ".

"Fiquei chocada. 'Você chama as crianças de 'estúpidas'?"

"Não os chamo de estúpidos. Chamo de estúpido o que eles fazem de estúpido. Eis a grande diferença'.

"Mas, Márcia, se alguém chamasse de estúpido o que eu fizesse, eu não saberia sentir-me senão estúpida' ".

"Não é assim que a coisa funciona. A criança sabe distinguir. De qualquer maneira, estamos nos preocupando com ninharias.

Tenho experiência própria nisso: se o relacionamento for bom, pode-se chamar a criança do que se quiser – "cabeça de pau", "paspalho", até mesmo de "burro" ou "estúpido", e ela vai levar na esportiva porque sabe que eu me preocupo com ela e que quero o seu bem. E talvez lhe interesse saber que todos os meus alunos estão fazendo um progresso incrível' ".

Roslyn deu de ombros, desconsolada. "Bem, Dr. Ginott, não soube o que responder a ela. E o pior é que ela me deixou confusa. Ela parece realmente se preocupar com as crianças, e, se está tão segura de seus métodos, e se está obtendo resultados, será que está completamente errada?".

Houve uma indignação audível. Todo mundo tinha algo a dizer. O Dr. Ginott esperou que a barulheira diminuísse.

"Roslyn", disse ele, "eis como vejo a coisa. A mais preciosa dádiva que podemos dar a uma criança é uma auto-imagem realista e positiva. Agora, como se forma essa auto-imagem? Não de uma vez só, mas devagarinho, experiência por experiência.

"Seria bom se pudéssemos pensar na auto-imagem da criança como cimento fresco. Imagine que cada uma das nossas respostas à criança deixe uma marca e molde seu caráter e sua personalidade. Isto coloca pais e mestres sob o liame de uma obrigação permanente. Seria melhor que pudéssemos ter a certeza de que nenhuma das marcas por nós deixadas seja do tipo de que venhamos a nos arrepender quando o cimento endurecer.

"Que nenhum adulto subestime o poder de suas palavras. Lembra, Jan, do que foi que o seu David lhe disse uma vez? Ele disse: 'Meus amigos e eu nos chamamos de burros o tempo todo, mas isso é só brincadeira. Mas quando o pai ou a mãe da gente chama a gente de burro – ou então a professora – aí a gente acha que é de verdade, porque eles devem saber'.

"Então, o que acontece dentro da criança que aceita como verdade a afirmação de que ela é burra? De que forma ela enfrenta o desafio duma situação nova? Muito simples: ela diz a si mesma, 'Eu sou burro, então para que tentar? Se eu não tentar, não falho'. Por outro lado, se ao longo dos anos suas forças tiverem sido validadas, a criança dá a si mesma outro tipo de mensagem. Ela diz consigo mesma: 'Eu sou capaz, então vou tentar. Se não funcionar, procuro outra maneira'.

"Mas, Roslyn, posso entender a sua frustração ao tentar comunicar estas idéias. O elogio descritivo é um conceito difícil de explicar. Já falei em grupos de pais, encontros médicos e associações de professores; e, embora haja consenso geral quanto ao fato de que a constante crítica negativa pode ser prejudicial, poucas pessoas percebem qualquer diferença entre uma avaliação positiva da personalidade de uma criança, tal como 'bom menino', e uma descrição apreciativa de suas ações".

"Pode mandar à minha casa todos aqueles que tiverem qualquer dúvida", declarou Katherine. "Terei prazer em explicar-lhes a diferença, porque experimentei os dois jeitos. Durante anos, tudo o que eu disse aos meus filhos foi 'bom menino', ou 'que menino ruim', dependendo do comportamento deles. Era assim também que minha mãe falava conosco. Daí, um dia, depois de ter ido fazer compras com o Chris, meu filho de cinco anos, eu estava para dizer 'Hoje você foi bonzinho'. Mas pensei 'Vou experimentar uma outra forma. Vou descrever, mesmo, o que senti e o que vi'. E então eu disse: 'Chris, gostei da sua ajuda na loja, hoje. Do jeito que você arrumou as garrafas e caixas no carrinho, por ordem de tamanho, facilitou muito as compras. De repente, fiquei com espaço de sobra'.

"Sabem que, desde aquele dia, ele não só arruma o mantimento no meu carrinho de compras, como também se decidiu a arrumar a caixa de ferramentas do pai, a minha despensa, e agora está dando uma nova arrumação nas suas prateleiras de brinquedos. Agora, ele já não pensa em si mesmo como um menino ruim ou bonzinho. Pensa em si mesmo como uma pessoa capaz de pôr as coisas em ordem, se quiser. Daí, essa pra mim é a grande diferença".

"Também tenho uma história para os céticos", disse a Lee. "Acho que Michael tinha na época uns oito anos. A família estava acabando de jantar, e eu estava em cima da escada procurando uma lata de pêssegos no armário, para a sobremesa. Segurei em falso na lata e de repente eu me vi mergulhada em calda de pêssego. Perdi as estribeiras: "Alguém aí vai me pagar!", gritei.

"Eu não", disse o Jason, "não fui eu que fiz". A Susie fez-lhe coro: "Nem eu". Mas o Michael ficou quietinho. Todo mundo olhou para ele. Daí, numa vozinha sumida, ele disse: "Acho que fui eu. Acho que abri a lata ontem e pus o resto no lugar. Só peguei um pêssego".

"Bom, gente, foi só ver aquela carinha apavorada e a minha raiva evaporou-se. Quase pulei da escada para dar-lhe um abraço bem forte e dizer que o achava maravilhoso, leal, um cara que diz a verdade. Mas meu marido chegou primeiro. Ele ainda estava sob a forte impressão da última reunião do grupo de pais do Dr. Ginott, e, assim, simplesmente *descreveu.*

"Cara, aposto que não foi fácil contar a verdade bem agora, que a Mamãe estava berrando tanto".

"Michael mostrou-se agradecido pelas palavras do pai e eu achei que a coisa morresse aí. Mas, na semana seguinte, eu e meu marido chegamos do cinema e encontramos um papel grudado na porta da cozinha com um Band-Aid. Dizia assim: Copo quebrado. Não entre descalço. Da pessoa que quebrou. Seu filho leal, Michael – E, lembrem, o pai dele não se referira mais a ele como 'leal'!".

Roslyn ouvia, tristonha. "Se eu contasse essa história à minha antiga colega de quarto, ela ia tirar um sarro. Ia dizer: 'Mas o que há de tão terrível em se chamar o filho da gente de leal, para começo de conversa? Para que fazer tanto rodeio?' "

"Vamos pensar no caso", disse o Dr. Ginott. "Suponhamos que o marido da Lee tivesse dito ao seu filho Michael: 'Você é um menino leal – o menino mais leal do mundo'. O que que ia acontecer, na cabecinha do Michael? Ele ia pensar consigo mesmo: 'Ah, se o meu pai soubesse... Se soubesse de todas as vezes em que não falei exatamente a verdade...'

"Aí, de repente, o Michael começa a sentir-se ansioso. Está sendo premiado, distinguido com uma honra que não fez por merecer inteiramente. Está sendo guindado a um modelo que não consegue manter. Ele se vê acuado. Como é que vai sair dessa? Talvez um pequeno deslize – só pra mostrar ao pai que, afinal de contas, não é nenhum anjinho.

"O leigo sempre se espanta quando elogia generosamente o filho e este se torna insolente. Para o psicólogo, não há mistério nisso. Ele sabe que as crianças tendem a se descartar do elogio global: é bitolado demais. Como pais esclarecidos, devíamos estar cientes de que, ao usar com nossos filhos esse tipo de elogio total, estamos praticamente procurando encrenca. Fico pensando em declarações do tipo: 'Você é sempre tão prestativo! É a criança mais animada que conheço. Você é extremamente inteligente' ".

"Poxa!" disse a Helen. "Isso me soa dolorosamente familiar. Eu costumava ser useira e vezeira desse tipo de coisa. Nunca deixei passar uma oportunidade de dizer aos meus filhos, *de forma direta,* o quanto eram maravilhosos. Eu pensava: 'Quanto maior o adjetivo, melhor o cumprimento'.

"Só que meus filhos não se comportavam mal, apenas não acreditavam em mim. Se o Billy me mostrava um desenho, eu dizia: 'Fantástico!'. E ele dizia: 'Mas você gosta mesmo?'. E eu: 'Gosto, gosto sim. Adoro'. Daí ele dizia: 'Ah, você está só querendo me agradar'. Só quando passei a descrever o trabalho dele, em detalhes, é que vi na cara dele aquela expressão de contentamento, aquela expressão de 'Uau! Eu que fiz tudo isso!'.

"Roslyn, tenho a impressão de que, se a sua amiga Márcia já tivesse visto, alguma vez na vida, essa expressão na cara de uma criança, ela ia achar muito difícil voltar ao modo antigo".

Roslyn hesitou. "Não sei se conseguiria explicar tudo isso a ela. Ela ia exigir um exemplo bem preciso, que se relacionasse com a classe dela".

"Bem", disse a Helen, "talvez eu possa ser específica. Você se referiu há pouco ao fato de que, quando uma criança levasse à Márcia um pega-panela, ela ia dizer 'bom trabalho'. Talvez, ao invés disso, ela pudesse dizer algo como:

'Mas como é bom ver esta combinação de cores! O rosa e o laranja são um regalo para os olhos'. Ou...

'Gosto do jeito como você dispõe as listras no seu desenho. Me faz lembrar uma pintura de Mondrian'. Ou...

"A mãe de alguém vai adorar um pega-panela tão original, tão criativo, e feito à mão!'. Ou...

"O estofo é tão grosso que eu poderia pegar até mesmo a panela mais quente, sem me queimar. Isto é mesmo o que se pode chamar de um bom pega-panela!' ".

"E isso", sorriu o Dr. Ginott, "é o que chamo de um elogio específico e descritivo. O fato, Roslyn, não é que seja necessariamente nocivo dizer-se à criança que ela é 'boa'; só que isso não basta, não é suficientemente bom. É limitado. A apreciação descritiva da Helen acrescentou uma dimensão inteiramente nova à visão que a criança tem de si mesma. A gente deve apontar a ela coisas que nunca lhe ocorreriam por si. 'Agora, por exemplo, o menino sabe que é capaz de fazer algo para proteger outra pessoa. Descobre que seu senso de cor é passível de causar prazer. Descobre-se capaz de fazer algo único e útil. Descobre que seu estilo se assemelha ao de um artista famoso. 'Quem é Mondrian?', a criança pergunta. E daí a professora tem um ouvinte motivado".

Roslyn respondeu: "Até posso ouvir o que diria a minha ex-colega de quarto: 'Teoricamente é válido. Mas qual o professor inteligente o bastante para se sair com esse tipo de resposta, o tempo todo?' ".

"Não estamos falando da perfeição", disse o Dr. Ginott, "mas sim de uma direção a ser imprimida. Gosto de pensar que poderíamos nos fixar, por exemplo, uma meta de setenta por cento. Mas até dez por cento já seria capaz de produzir uma diferença apreciável. Ora, quando a gente está com fome, um pouquinho de comida é melhor que nada".

Eu tinha estado acompanhando os debates com crescente impaciência. Ninguém havia mencionado a coisa que mais me perturbara.

"Roslyn", eu disse, "fiquei aqui sentada, o tempo inteiro, chocada com a idéia de uma criança excepcional que vai levar à professora um trabalho só para ouvir dela que o trabalho está 'medíocre'. O que, aliás, a professora faz com orgulho, em nome da honestidade. Não sei de ninguém – criança ou adulto – que já tenha melhorado a partir da hora em que lhe disseram que seu trabalho era medíocre. Além disso, será que ela nunca notou com que rapidez as crianças tendem a se desgostar de seus trabalhos – a dizer 'não vale nada?'. Será que a resposta dela, nesse caso, seria então 'Você tem razão, sejamos honestos, não vale nada?'".

O Dr. Ginott aproveitou a deixa. "Você levantou uma questão muito importante", disse. "*De que forma* podemos ajudar nossos filhos a lidar com sua própria insatisfação? Suponhamos que um guri diga: 'O meu pega-panela não vale um tostão'. Nossa resposta, então, podia ser: 'Ah, vejo que você não está satisfeito com o jeito que saiu o seu pega-panela'.

" 'É mesmo, o pespontado não está bom'.

" 'Ah, sei, tem qualquer coisa no pespontado que não te agrada, é isso?'.

" 'É sim, olha, tá torcido'.

" 'Muito bem, então quer dizer que, para você ficar satisfeito, o pespontado tinha de estar reto'.

" 'É isso aí'.

"Este tipo de conversa ajuda a criança a concentrar-se naquilo que ela quer atingir. A partir daí, a criança se sente livre para ir em frente e fazer mudanças. Quando dizemos que o trabalho dela está fraco, nós a detemos. Tiramos-lhe qualquer desejo de prosseguir".

Roslyn suspirou, pensativamente. "Queria que o senhor tivesse estado comigo no dia em que encontrei a Márcia, Dr. Ginott. O senhor a teria convencido. Não que ela não tivesse discutido com o senhor, pois é do tipo que procura sempre evasivas. Eu a conheço. Ela ia dizer qualquer coisa como: "Isso é muito bom para uma criatura que já sente que algo está errado. Mas, e quando a criança não percebe seus próprios erros? E que me diz da criança que tem uma caligrafia ilegível e acha que está ótimo? Será que o senhor ia fechar os olhos a isso e deixar a coisa continuar durante anos? Pois o senhor sabe muito bem que isso seria prejudicial à própria criança, afinal de contas!' Eu gostaria de saber como o senhor responderia".

O Dr. Ginott voltou-se para o grupo. "Alguém se importaria em aceitar o desafio?".

Ofereci-me. "Estou pronta para sua pergunta, Roslyn. Há cerca de uma semana, o David trouxe para casa a prova de poesia. Do outro lado da página onde estava escrito o primeiro poema dele a professora tinha rabiscado a tinta vermelha 'Letra malfeita'.

"Foi demais para mim. Como é que ela podia desmerecer daquele jeito o trabalho de uma criança? O que a tinha autorizado a pegar um detalhe e qualificar por ele todo o esforço realizado?

"Num primeiro momento de raiva, pensei em ir falar com ela. Ia dizer a essa senhora, paga para auxiliar o desenvolvimento intelectual do meu filho, que a maneira de se ajudar uma criança a melhorar é edificar sobre os seus pontos fortes, e não desancá-la com os seus pontos fracos. Ia dizer a ela que, se queria resultados, devia começar por apreciar o que ele *já tinha* conseguido, antes de fazê-lo engolir suas "deficiências" com casca e tudo!

"Bem, e em que isso ia mudar as coisas?... De qualquer maneira, quando o David me passou o papel, eu disse a ele que aquilo me deixara furiosa.

" 'Tá bom, ele concordou. Tenho mesmo uma letra péssima'.

"Ele acreditava nela! Daí eu disse: 'David, acho que quando

alguém precisa melhorar a letra, a gente deve falar à pessoa o que fazer para melhorar, em vez de ficar xingando!'

"Daí, dei a ele um lápis e uma folha limpa, e pedi a ele para escrever três palavras, as que ele quisesse. Ele escreveu o nome dele todo. Parecia uma assinatura de médico na receita, era praticamente indecifrável. A professora tinha razão!

"Estudei o papel até descobrir uma letra de aparência razoável Daí eu disse: 'David, uma forma de se ter uma letra mais limpa é fazer com que todas as letras fiquem na mesma linha. Veja este *D* que você fez aqui, é um bom exemplo'.

"David debruçou-se sobre o papel e, devagarinho, formou as letras de novo. Estava um pouco melhor. E daí eu disse: 'Você fez o *v*, o *a* e o *D* ficarem na mesma linha! Achei que devíamos parar, mas o David queria continuar. 'Que mais?', perguntava.

" 'O outro truque que ajuda é fazer as letras "olharem" todas para o mesmo lado, e isso não é fácil.'

"E o David disse: 'Eu consigo fazer isso, também.' E fez – mais ou menos. Estava longe de ser perfeito, mas ele deu uma melhorada tão perceptível que ficou entusiasmado. "Vai, mãe, me conta mais alguma coisa que eu possa fazer!".

"E então eu disse: 'O próximo passo é o mais difícil de todos. Aí a gente tem de manter a mesma distância entre cada letra'.

"E novamente o David se curvou sobre o papel. Dessa vez, escreveu devagar, bem devagarinho. 'Tá certo?', perguntou.

"Examinei o trabalho um pouco, antes de responder. E então passei a descrever: 'Estou vendo espaços bem iguaizinhos entre as letras. Todas as letras estão na mesma linha, e a maioria delas está "olhando" na mesma direção. Ah, dá gosto olhar pra esta caligrafia!'

" 'É verdade', declarou ele, 'eu podia mesmo ter uma letra bem bonita, se quisesse. Talvez se eu praticar mais um pouco depois'.

"Não tenho muita certeza se esse exemplo satisfaria plenamente sua amiga, Roslyn. Ela podia achar exagero meu. Mas não sei de outra forma de se trabalhar com crianças, exceto começar por uma apreciação do que a criança é neste momento."

Roslyn não disse nada. No meio da minha história, eu a havia perdido. Podia perceber que ela estava absorvida em seus próprios pensamentos. Mas o Dr. Ginott ficou contente com meu exemplo.

"Você deu ao David a liberdade e os meios de ir em frente e melhorar a letra."

"O pai ou a mãe podem ser de grande valia para o filho que se sentiu ferido por uma crítica. Como? Traduzindo para ele, assim como você fez, Jan. Podemos traduzir a avaliação negativa por uma declaração daquilo que precisa ser feito. 'Letra péssima' significa *as letras precisam ficar na mesma linha*... 'Ruim em matemática' quer dizer *precisa de mais exercícios*... 'Mau comportamento' significa *precisa esperar que os outros terminem para falar,* ou *deve exprimir sua raiva sem xingar nem ofender os outros.* Esta espécie de linguagem pode se constituir numa ajuda imediata.

"Mas a melhor proteção de longo alcance contra as críticas que ferem é uma auto-imagem forte, vigorosa. A criança que pensa bem de si mesma se recuperará muito mais rapidamente de um ataque do que aquela que já está cheia de dúvidas e auto-desamor.

"Ocorreu-me recentemente que o pai ou mãe se encontra sempre numa posição melhor do que o terapeuta, no que concerne a reforçar a auto-imagem. Os pais podem não apenas mostrar apreciação pelo comportamento presente de uma criança ou de um jovem, mas podem também basear-se em subsídios do passado para reforçar a auto-estima da criança. Pois é a mãe ou o pai quem pode contar ao Jimmy que ele falou cedo, que ele levava para casa os gatos abandonados, que era terrível para subir nas coisas, ou algo assim. E quem mais poderia lembrar-se do dia em que ele fez o relógio da cozinha funcionar de novo, a festa de aniversário que ele planejou sozinho, ou aquela vez em que ele preparou sozinho o café da manhã, porque a mamãe estava doente? Toda criança tem um montão de pequenas experiências que distinguem sua vida da de qualquer outra. E todo pai ou mãe pode constituir-se numa memória viva dos melhores momentos de seu filho.

Lee assentiu vigorosamente. "E é uma criança de sorte, aquela que tem pais com uma memória bem sortida!", declarou. "As façanhas que constituem o passado da criança podem representar para ela um grande conforto – especialmente quando a melhor amiga da sua mãe começa a depreciá-la."

Quase divertida, a Helen perguntou: "Você está pensando em alguém em especial?"

Lee sorriu de esguelha. "Sim, no Michael. Sábado passado ele chegou em casa tão perturbado que mal podia falar. Da história bem montada que nos contou, eu e o Hank, meu marido, deduzimos juntos o que devia ter acontecido.

"Michael e um amigo dele, o Paul, estavam brincando de cabo de guerra com um bastão. A certa altura, o Paul deve ter caído de costas e deu com o nariz no bastão.

"Evidentemente, a mãe do Paul ouviu os gritos dele e veio correndo. Deu uma olhada no nariz do filho, que sangrava, e acusou o Michael de ter batido nele. Quando o Michael negou, ela berrou 'Seu mentiroso!'

"Tudo indica que, a essa altura, o Paul tentou ir em defesa do amigo. Disse à mãe que fora um acidente – que estavam os dois apenas puxando o bastão. 'Então vocês são dois irresponsáveis!' gritou ela.

"Quando a história acabou, Hank sentou o Michael no sofá, perto dele. E disse: 'Michael, quando alguém xinga a gente de qualquer coisa, o importante é não o que dizem para a gente, mas o que a gente diz para si mesmo. Filho, o que é que você diz para você?'

"O Michael berrou: 'Não sou mentiroso! Não sou irresponsável!'

"E daí o Hank disse: 'Bom, parece-me que um menino que admite ter aberto uma lata de pêssego, sabendo que isso podia metê-lo em encrenca, dificilmente poderia ser chamado de mentiroso.'

"O Michael olhou para ele de boca aberta.

"E o Hank disse ainda: 'E parece-me que um menino que varre o chão e põe um aviso para proteger os membros de sua família de possíveis cacos de vidro – mesmo que ninguém lhe tivesse dito para fazê-lo – dificilmente poderia ser chamado de irresponsável!'

" 'É mesmo, eu fiz isso, não fiz?' disse o Michael, sem fôlego. "Diga para ela, Papai. Vá à casa dela, ou telefone para ela, e fale de mim para ela.'

" 'Você quer mesmo que a mãe do Paul fique sabendo dessas coisas, quer?... Michael, mais importante que qualquer coisa que eu pudesse dizer a ela é que você sabe a espécie de pessoa que você é.'

"Aí o Michael saiu da sala. Uns vinte minutos mais tarde, voltou com uma cara divertida. 'Acabo de compor um provérbio', disse, 'e não sei se vocês vão entender ele.'

" 'Tente comigo', propôs o Hank.

"Com muita seriedade, Michael recitou seu provérbio: 'Não é o que eles acham; é o que eu sei... . Isso faz sentido?'

"Eu estava desconcertada. Em meia hora, essa criança passara do pranto à sabedoria.

"Se faz sentido? repetiu o Hank. 'Mas que profunda observação filosófica!"

" 'Michael', disse eu, 'escreve isso para mim, tá? Assim posso olhar para o seu provérbio e pensar nele um pouco mais'. E, sabem, ainda tenho o provérbio dele colado à porta da geladeira".

O Dr. Ginott estivera ouvindo com grande interesse. "Parece-me", disse ele, "que uma criança capaz de formular essa espécie de afirmação tem uma grande vantagem. Ela tem uma certa proteção contra o assassínio de personalidade que as crianças sofrem todos os dias. As pessoas terão muito trabalho para imobilizá-lo nos rótulos que procuram apor-lhe – 'mentiroso', 'irresponsável', 'preguiçoso', 'cabeça de abóbora'. Porque ela tem de si mesma uma outra auto-imagem em que se apóia. Essa auto-imagem é a sua chave para a liberdade.

"Lee, você e seu marido deram ao Michael essa chave. Continuamente ele tem ouvido suas qualidades e habilidades especiais serem descritas com apreciação. Vocês o estão ajudando a saber, a um nível muito profundo, quais são seus pontos de força; quem é ele.

"Esta espécie de autoconhecimento raramente chega a uma pessoa criada sob o critério da avaliação constante. A vida é mais difícil para ela. Muitas vezes ela continua dependente. Precisa recorrer a outras pessoas que lhe digam quem é ela, o que ela pode fazer, e quão bem o pode fazer."

De repente, Roslyn voltou à vida. "Espera aí!" exclamou ela, "É isso! Isso explica tudo! Agora já sei o que vou dizer à Márcia. Vou dizer assim: 'Você não tem o direito de ficar sentada, julgando outros seres humanos. Sua tarefa é ajudar as crianças que você ensina a acreditar em si mesmas, o que elas não poderão fazer se ficarem sempre sendo avaliadas. Quer que elas tenham de levar seus pega-panelas para os outros, a vida inteira? Chega a hora em que a criança tem de olhar para o pega-panela que fez e dizer a si mesma, 'Estou satisfeito com o que eu fiz' ou 'não estou satisfeito.' Mais cedo ou mais tarde ele vai ser capaz de decidir o que lhe convém. 'Que teria acontecido aos irmãos Wright, ou a Fulton, ou a Colombo, se tivessem dependido da opinião dos outros?'... . O que é que o senhor acha, Dr. Ginott?"

"Acho", respondeu ele, sorrindo, "que você concordaria com os psicólogos que acreditam que, numa pessoa saudável, a fonte ou lugar de avaliação reside dentro da própria pessoa".

"Vou citar o senhor nesse trecho!" exultou Roslyn. "Vou usar essa afirmação sua na próxima vez que vir a Márcia! O senhor não faz idéia de como isso vai impressioná-la".

Súbito, ela levou a mão à boca. "Mas o que é que estou dizendo! Escutem. Ainda estou tentando convencê-la de que tenho razão. Isso é quase como se eu tivesse de conseguir a aprovação dela, para só então ter confiança em mim mesma. – Vocês percebem? Quer dizer que eu transferi para a Márcia o meu lugar de avaliação, quer dizer que fiquei na dependência da percepção dela sobre o que é bom ou mau, certo ou errado. Eu estava deixando que ela fizesse comigo o que faz com os alunos!"

Ela voltou-se para a Lee. "Diz lá, como é que era mesmo o provérbio do Michael?".

"Não é o que eles acham; é o que eu sei".

"Me faz um favor, Lee? Pede para o Michael fazer outra cópia do provérbio. Diz para ele que você conheceu uma mulher que quer usar o provérbio dele como lembrete. Diz para ele que a tua amiga pretende colar o provérbio na porta da geladeira, também".

Capítulo VII
Os Papéis que Lhes Impomos:

1. O Pobre Coitadinho

Quando nosso grupo tornou a reunir-se, evidenciou-se que a última sessão dera frutos para a criançada. Nossa progênie reunida recebera mais apreciação, nas últimas duas semanas, do que nos últimos dois anos.

"Você acaba de usar uma palavra difícil de pronunciar".

"Gosto da sua pergunta. Me faz pensar".

"Quase uma hora no mesmo quebra-cabeça? Isso requer perseverança! E concentração!"

Nunca antes tantos egos tinham sido tão bem alimentados. E nós nos sentíamos como "excelentes" mães.

Se falhamos em algo, foi no nosso excesso de zelo. Elogio em demasia – mesmo o do tipo construtivo – soava às vezes, para as crianças, como pressão. Helen contou que a Laurie tinha dito, 'Manhê, não precisa me dizer que você gosta, toda vez que eu toco piano!'

Boa questão. Devíamos ter esperado por isso. Mas permanecia o fato: a apreciação descritiva falava diretamente ao coração da criança. Ouvimos enlevadas uma após outra dar testemunho do poder do elogio bem dirigido.

Nell sentou-se lá atrás, separada do grupo. Ao fim de um relato particularmente animado, ela abanou a cabeça.

O Dr. Ginott a viu. "Nell", disse ele, "você está com dúvidas".

Embaraçada por ter sido notada, Nell gaguejou: "Não, não exatamente... Eu... Eu acho que só estava imaginando o que há de errado comigo. Todo mundo ficou tão... Sumiu-lhe a voz. E então ela destampou: "Dr. Ginott, não conseguiu achar no meu filho nada que me parecesse digno de elogio".

"E isso perturba você", disse ele, preocupado.

"Bom, é terrível não se poder nunca dizer algo agradável para o filho da gente. Se há alguém que pode usar um pequeno elogio, é o Kenneth. Falta-lhe tanta confiança; ele não acha que possa fazer algo bem. Acho que ele se vê a si mesmo como uma espécie de ninguém. Vocês sabem, um aluno medíocre, um atleta fraco..."

"E como é que você o vê?" perguntou o Dr. Ginott.

Nell pensou um pouco. "Bem, a verdade é que ele não é mesmo muito capaz. Sei que devia ser mais compreensiva, mas às vezes fico tão irritada com ele... Fico vendo-o andar pela casa com os ombros caídos, com uma aparência desprezível. É como se ele tentasse, deliberadamente, ser um probre coitado".

"Você quer dizer que é quase como se ele assumisse para si mesmo um papel, e tudo o que ele faz deve encaixar-se no personagem?"

"É, é isso!" exclamou a Nell. "Mesmo quando lhe acontece algo lindo, ele encontra um jeito de não usufruí-lo."

Ela franziu profundamente o cenho. "Talvez ele esteja representando um papel. Mas, se isso é verdade, o que significa? Quer dizer que ele vai continuar com isso? Que é desse jeito que ele vai ser quando crescer?"

"É possível", respondeu o Dr. Ginott, "a menos que alguém, em alguma época, o veja de forma diferente."

Nell parecia desnorteada. "Não sei se o estou entendendo muito bem."

"Nell, uma criança não pode discordar das verdadeiras expectativas dos pais. Se nossas expectativas são baixas, podemos ter certeza de que as aspirações do nosso filho o serão também.

Um pai ou mãe que diz 'Meu filho nunca vai ser grande coisa' com muita probabilidade verá cumprir-se sua profecia."

"Mas, Dr. Ginott", gritou a Nell, "o senhor disse, antes, que uma auto-imagem tinha de ser tanto realista quanto positiva. Seria irrealista, da minha parte, ter grandes expectativas com relação ao Kenneth. A verdade é que ele não vai bem na escola. A verdade é que ele não é seguro. A verdade é que ele é negligente."

"A questão, pois", disse o Dr. Ginott, "é como podemos ajudar uma criança a passar de insegura a segura, de aluno medíocre a aluno capaz, de alguém que não significa muito a alguém que serve para alguma coisa.

"A resposta é ao mesmo tempo simples e complicada: *tratamos a criança como se ela já fosse aquilo que gostaríamos que ela viesse a ser.*"

Nell parecia frustrada. "Ainda não estou entendendo", disse. "O senhor quer dizer que eu devia tentar visualizar a espécie de pessoa que o Kenneth poderia ser, e então agir como se ele já fosse desse jeito?" Deu de ombros, desanimada. "Mas não faço idéia do que ele pudesse ser."

"Nell, eis como vejo o seu filho." O Dr. Ginott falou devagar. "Vejo o Kenneth como um menino que está lutando para tornar-se um homem."

Nell pestanejou por um momento, "Sim, mas como é que ele poderia algum dia..."

O Dr. Ginott deteve-a. "Trouxemos à baila um assunto difícil. Quem sabe você quer um pouco de tempo para pensar a respeito?"

Alguém apresentou outro tópico. Após uma breve discussão, o Dr. Ginott consultou sua agenda. Disse-nos que ia fazer uma viagem, durante a qual daria algumas conferências, e que só nos encontraríamos de novo dali a um mês.

UM MÊS DEPOIS

Terminados os cumprimentos iniciais, o Dr. Ginott perscrutou o nosso círculo e fixou os olhos em Nell. "Você tem algo a dizer-nos", disse ele.

A Nell sorriu timidamente. "Quer dizer que dá pra ver?" hesitou ela, como se estivesse em dúvida quanto a continuar.

Depois, falou com grande fervor. "O senhor não faz idéia de quanto a última sessão me afetou. Dr. Ginott, eu não conseguia tirar da cabeça as suas palavras – que o Kenneth estava lutando para tornar-se um homem. Cada vez que eu pensava nisso, começava a chorar. Não sei por quê... talvez por que fosse exatamente o retrato desse garoto triste, lutando contra todas as desigualdades para se tornar um homem. E não havia ninguém ao seu lado... nem mesmo a mãe."

Nell engoliu em seco, esforçando-se para se conter. E depois continuou. "De repente, tive um desejo irresistível de ajudá-lo. Ele tinha pela frente uma tarefa tão enorme. Eu queria dar-lhe todo o apoio possível.

"No dia seguinte, eu estava transformada pela minha nova disposição. Todos os meus contatos com o Kenneth – até mesmo as observações mais banais – adquiriram um tom diferente. Por exemplo, de manhã, ele voltou para casa correndo, para apanhar o sanduíche; o que não é incomum. 'Esqueci o lanche', desculpou-se. Bem, ao invés de repreendê-lo, eu me vi dizendo amavelmente: 'Parece-me, Kenneth, que você se lembrou do lanche – e bem na hora!'

"Daí, naquela mesma tarde, depois da escola, o Kenneth me pediu chocolate quente. Fui novamente uma surpresa para mim, que me vi a sugerir-lhe que o fizesse sozinho daquela vez, e que fizesse uma xícara para mim também.

"Acho que aquilo realmente o espantou. Sabem como é, né, eu nunca antes o deixava chegar perto do fogão, por causa da sua falta de jeito.

" 'Como é que você faz o chocolate?', ele perguntou.

" 'As instruções estão na caixa', eu disse, e saí.

"Dez minutos depois, o inconfundível cheiro de leite queimado encheu a casa. Precipitei-me para a cozinha e lá estava o Kenneth – as calças, a camisa, os sapatos, tudo coberto de chocolate fervido. Era uma visão lastimável.

" 'Poxa, como eu sou desastrado! Não consigo fazer nada direito.'

"Dr. Ginott, na hora, pensei na sua clássica ilustração: 'O leite derramou. Precisamos duma esponja', e sorri por dentro. Eu disse ao Kenneth: 'Ah, estou vendo que o chocolate ferveu. Você não queria que isso acontecesse, queria?' E passei a ele uma toalha velha, e fomos ambos limpar a sujeira.

"Enquanto limpava aquela desgraça toda, ele resmungava: 'Não sei por que faço tanta coisa errada.'

"Fiquei com pena dele. 'Fazer coisas erradas pode desanimar a gente, mesmo. Sabe o que seu pai costumava me dizer quando eu ficava doida comigo mesma por cometer um erro? Ele dizia, 'Veja a coisa desta forma, Nell. Uma coisa errada pode ser um presente, pode ajudar a gente a descobrir algo que não sabia antes.'

"Kenneth pegou a idéia na hora. E disse, meio brincando, 'É mesmo, descobri que quando a gente está fervendo leite, é melhor deixar o fogo baixo.'

"Fiquei tão contente por ver que ele se esforçava por levar a coisa na esportiva que tentei responder no mesmo tom: 'Brilhante observação, Dr. Pasteur.'

"Vocês sabem, foi o dia mais legal que já tivemos juntos!"

O Dr. Ginott estava radiante. "O estilo é a substância; o estado de espírito, a mensagem", disse ele. "O que acabo de ouvir implica a mudança de todo o teor de um relacionamento. Nell, fico imaginando se você se dá conta de como foi útil ao seu filho quando ele se lamentou de todos os seus erros. A resposta mais comum teria sido no sentido de negar os sentimentos do Kenneth, assim: 'Não, na verdade você não faz tanta coisa errada assim. Na verdade, você é muito habilidoso. Você é até muito mais habilidoso do que imagina.' E esse tipo de 'confirmação' teria despertado as dúvidas e ansiedades dele.

"Notei também que o Kenneth ficou um pouco relutante em aceitar a nova imagem que você fez dele. Muitas vezes é mais fácil para a criança apegar-se aos seus velhos hábitos autoderrotistas, porque esses, pelo menos, lhe são familiares."

Nell ouvia atentamente. "Ah, então isso talvez explique o caso do dinheiro!", exclamou. "Talvez ele estivesse tentando provar que minha confiança nele não era infundada. Sabem, no dia seguinte, dei-lhe uma nota de cinco dólares e pedi-lhe que me fosse buscar umas coisinhas na quitanda, algo que eu nunca fizera. Bom, ele perdeu o dinheiro antes mesmo de chegar à quitanda.

"Fiquei terrivelmente perturbada. Parecia até de propósito, ele ter perdido o dinheiro. Pensei, 'Eu estava sonhando. Ele nunca vai mudar. Continua tão irresponsável quanto antes.' Fiquei com raiva demais para sequer falar com ele aquela noite.

"Mas, na manhã seguinte, acordei mais calma. De alguma forma eu sabia que não devia perder a fé – que, se eu não confiasse nele, ele estaria perdido. Então fiz uma coisa que pode parecer boba para vocês. Dei ao Kenneth outra nota de cinco dólares, e a mesma listinha para ir comprar na quitanda.

"Ele ficou atônito. E disse, 'Você quer dizer que confia em mim? Depois do que aconteceu ontem?'

"Eu disse, 'Isso foi ontem. Hoje é hoje.'

"Uma hora mais tarde, eu estava trabalhando na minha escrivaninha, no quarto, quando ouvi algo ser empurrado por debaixo da porta. Era um envelope, com o troco e um bilhete."

Nell mexeu na bolsa, procurando um papel. Desdobrou-o e leu, com voz trêmula:

Querida mãe e meia,
Eu trouxe tudo, menos os tomates. É que estavam muito moles.

Te amo,
Ken.

"Ouviram do que ele me chamou? Não sei bem se ele sabe o que isso significa. E a assinatura! Ele nunca antes se havia referido a si mesmo como 'Ken'!"

Fiquei encantada com a Nell – aquela mulher de voz macia, de vestido marrom, muito sóbrio, e maneiras tão sóbrias, quase fora de moda. Onde é que ela tinha encontrado a sabedoria e a coragem para fazer o que fizera – sem o apoio de um marido? Imagino qual seria a resposta do Dr. Ginott.

Ele não disse nada, mas manteve os olhos nela, esperando.

"Ainda tem mais", disse ela, sondando o ambiente, "mas talvez eu já tenha tomado tempo demais."

"Você tem todo o tempo de que precisar", disse o Dr. Ginott. "Continue, por favor. Estamos aprendendo com uma 'mãe e meia.' "

Nell corou. "Mas o senhor não percebe", disse ela, "nada disto teria acontecido, se eu não estivesse vindo aqui. Foi uma grande dádiva para mim ser capaz de sentir-me mais amorosa para com o Kenneth. Só isso, por si, fez uma tremenda diferença; mas foram as técnicas que aprendi aqui que me capacitaram a ajudá-lo, de certas formas que jamais sonhei. Na nossa última sessão, por exemplo, o senhor falou que os pais podem ser um repositório dos melhores momentos de seus filhos. Isso jamais me teria ocorrido. Bom, daí eu comecei a contar ao Ken sobre quando ele era pequenininho, e ele não se cansava de ouvir. Fascinou-o especialmente um incidente dos tempos do maternal."

"Conte-nos", disse o Dr. Ginott, "bem do jeito que você contou para o Kenneth."

Nell fez uma breve pausa. "Acho que eu disse qualquer coisa como: 'Kenneth, aposto que você não se lembra da sua primeira entrevista no maternal. A professora estava me perguntando um monte de coisas sobre você. Uma delas era se você já tinha alguma vez brincado com tesoura."

"Antes que eu pudesse responder, você se aproximou da mesa de brinquedos, pegou uma tesoura e um pedaço de papel cartão, e cortou o papel direitinho, em duas metades iguaizinhas.

"A professora ficou espantada. 'Mas que mãos!', ela exclamou. 'Ele tem uma ótima coordenação motora nesses dedos.'

"O Kenneth adorou a história. Mas o que eu quero ressaltar é que, logo no dia seguinte, ele comprou um *kit* de aviãozinho de montar, e trabalhou naquilo durante horas. Ao terminar, ele me mostrou.

" 'Mas como é que você conseguiu montar todos aqueles pedacinhos, encaixar um no outro?', eu perguntei.

" 'Você sabe', disse ele, muito sério, erguendo as mãos, 'eu tenho uma ótima coordenação motora.' Agora, quem podia imaginar que um simples caso do passado pudesse significar tanto para ele?

"Mas a coisa não termina aí. Mais ou menos uma semana depois, meu irmão foi visitar-nos. Suas visitas são importantes para o Kenneth; ele adora o tio. Foi um lindo dia em família. De manhã, fomos à igreja, demos um longo passeio pela tarde, e de noite meu irmão ficou para jantar. O Kenneth guardara um artigo, da página de ciências do jornal da escola, para mostrar ao tio, e perguntou se podia lê-lo em voz alta, à mesa. Ele lê aos trancos, mas ficou tão excitado com a permissão, que lutou com as palavras técnicas para fazer com que tivessem sentido.

"O artigo era sobre o primeiro cirurgião que fez um transplante de coração humano. Quando Kenneth acabou de ler, sentou-se, muito ereto na cadeira: 'Já sei o que vou ser quando crescer', ele disse.'Vou ser cardiocirurgião!'

"Fiquei boba. Não só pelas palavras dele, mas pelo jeito que ele estava – tão sério, tão compenetrado. Havia nele uma presença tão viril que eu fiquei cismando.

"Meu irmão quebrou o encanto. Ele é um amor, mas é também muito realista. 'Keeny', ele disse, 'esqueça. Em primeiro lugar, a cardiocirurgia é um campo limitado. Em segundo lugar, para conseguir se tornar um cardiocirurgião você precisaria de notas muito altas, muito dinheiro e boas ligações. E, além do mais, percebe que responsabilidade você ia assumir? É a vida de uma pessoa na sua mão, cara!'

"O Kenneth olhou pra mim Estava de volta a sua velha expressão de derrotado.

"Eu intervim rapidamente. 'Percebo o que o seu tio quer dizer. Acho que dinheiro e altas ligações poderiam representar um problema. No entanto, quando chegar a hora, a gente há de contornar essas dificuldades. Agora, quanto a ter a responsabilidade da vida de uma pessoa em suas mãos, bom', e apontei para as mãozinhas firmes do Kenneth, 'quer melhores mãos que as suas?'

"Nunca vi o Kenneth tão orgulhoso, em toda a sua vida."

Uma exclamação geral encheu a sala. Alguém começou a falar, mas o Dr. Ginott fez um gesto, pedindo silêncio. Ele sabia que a Nell ainda não tinha terminado.

"Não estou fingindo a mim mesma que o Kenneth vá ser um cardiocirurgião", continuou ela, "mas acho que o simples fato de ele ter pensado nisso foi importante. O que eu quero dizer é que ninguém, com uma auto-imagem medíocre, ia pensar numa coisa dessas, ia? E, vocês sabem, o mais extraordinário de tudo é que ... estou começando a acreditar que seja possível!

"Dr. Ginott, minha pergunta é: será que estou vendo demais em tudo isso? Será que estou superestimando o efeito de minha nova atitude? Uma parte de mim acha que não – que sou responsável pela mudança. Mas a outra diz: 'Mas como pode ser isso? As coisas que fazemos e pensamos são efêmeras'".

O Dr. Ginott respondeu solenemente. "Nell, leva apenas um minuto para se vacinar uma criança contra a pólio. Mas esse minutinho protege-a pelo resto da vida."

Era o que a Nell esperava ouvir. Ela sentou-se e respirou profundamente.

Ninguém se preocupou em falar, depois disso. Diversas mulheres deixaram seu olhar vaguear pelo espaço, e algumas foram até a Nell para hipotecar-lhe particularmente sua admiração. Eu estava juntando minhas coisas quando, por qualquer obscura razão, de repente me lembrei da pergunta que minha mãe me fizera ao telefone, aquela manhã, e que ficara sem resposta:

"Janet, querida, não me diga que ainda está indo àquele tal curso daquele doutor! Você já não sabe tudo aquilo? Já faz dois anos. Será que ainda tem alguma coisa pra você aprender?"

Muito mais, mamãe. Muito mais.

2. A Princesa

TRÊS SEMANAS DEPOIS

O assunto dos papéis era fascinante demais para ser abandonado. Tínhamos muitas perguntas a respeito. Onde é que isso começa – esse negócio de a criança representar um papel? Em que ponto de sua vida ela se transforma no "valentão", no "choramingas", no "sonhador", no "intelectual", no "deixa comigo", na "criança problema"?

Será que a criança já nasce desse jeito? Será que seu lugar na família (o mais velho, o caçula, o filho único) determina sua identidade? Que efeito têm, sobre a visão que ele tem de si mesmo, seu peso ou altura? Sua saúde? Sua inteligência? Seus atrativos físicos, ou a falta de atrativos? E quanto aos seus companheiros? Será que eles não lhe dizem quem é ele? E com respeito àqueles acontecimentos de sua vida que deixam marcas indeléveis, como uma morte na família?

Obviamente, há muitos fatores que afetam poderosamente a criança, e que escapam ao controle de qualquer um.

Mas, quais são os caminhos pelos quais o pai ou a mãe podem moldar a auto-imagem da criança, para melhor ou para pior? Queríamos tornar a conversar a esse respeito. E ir um pouco mais fundo, dessa vez.

Uma mulher disse que tinha visto os pais mais bem intencionados do mundo prejudicarem a auto-imagem de uma criança, por pura brincadeira. Disse que o próprio pai dela costumava caçoar dela, carinhosamente, o tempo todo. Chamava-a de Preguiçosa, Mão Furada, ou Bocona. E sempre, ele estava "só brincando". Para ela, porém, aquilo nunca era engraçado. E mesmo agora, já adulta, disse ela, não conseguia sacudir de si aquelas palavras. Há ainda ocasiões em que ela pensa em si mesma como preguiçosa, desajeitada ou espalha-brasas.

O Dr. Ginott assentiu gravemente. "Você aprendeu por experiência própria que, mesmo por brincadeira, rotular a criança pode ser destrutivo."

Seguiu-se um silêncio pensativo.

"Às vezes", disse outra mulher, "a mãe pode prejudicar, mesmo quando se trata de uma pessoa séria, empenhada em tentar ajudar a criança a melhorar. Ela acredita honestamente que, se mostrar o que está errado, a criança começará a mudar." Ela usou a si mesma como exemplo. Descreveu como seu filho tinha perdido a jaqueta; ela achou de seu dever mostrar-lhe que ele estava se tornando descuidado com seus pertences; e por isso relacionou outras coisas que ele havia perdido naquele ano – a chave, um caderno, o estojo dos óculos, a caneta, e contou como, ao fim de seu discurso, o filho olhou para o chão e murmurou: "Acho que só sei perder as coisas".

A resposta do filho, disse ela, a havia sobressaltado. Sua intenção fora torná-lo mais responsável. Mas, ao invés, ela havia conseguido justamente o efeito contrário. Daquele dia em diante, o filho parecia já não tomar conta de nada. Passou a só saber perder as coisas mesmo.

O Dr. Ginott concordou. "Você nos forneceu uma descrição muito precisa de como a diagnose pode transformar-se na doença."

Outra mulher disse que lhe ocorrera uma idéia: "Fico pensando se, às vezes, os próprios pais não instam a criança, inconscientemente, a interpretar determinado papel, mesmo que, conscientemente, eles possam negar o fato. Estou pensando, em particular, em duas amigas minhas. Uma delas queixa-se constantemente de que o filho arruma tanta encrenca na escola que passa metade do dia na sala do diretor. E, no entanto, ela se refere a ele carinhosamente, como 'Meu filho, o terror da Escola Pública 47'.

"Minha outra amiga sempre lamenta o fato de a filha dela ser consciencioso demais, perfeccionista. Parece que a menina fica muito nervosa, a menos que tudo o que tenta fazer saia rigorosamente certo. Mas já notei que a mãe diz com orgulho, na frente dela, 'Ah, você sabe como é a Jennifer, nunca está satisfeita. Tudo que ela faz tem de sair direito.' "

Mais uma vez, o Dr. Ginott concordou. "Pode bem ser verdade o que você suspeita. Nos dois casos, as crianças provavelmente estão ouvindo a mensagem subjacente dos pais, que é esta: 'Não ligue para meus protestos. Continue sendo um terror. Continue sendo uma perfeccionista. Isso é o que a mamãe quer.' Quando a criança parece representar um papel, uma boa idéia, para os pais, é perguntarem-se a si mesmos: 'Qual a mensagem que eu estou realmente transmitindo?' "

Lee lamentou-se: "Acho que devia ter me perguntado isso, sobre a Susie, há sete anos, quando ela nasceu – embora eu duvide que tivesse feito algum bem. Ela me parecia um milagre – a primeira menina depois de dois meninos, e era tudo que eu nunca fui: delicada, de cabelos dourados, uma pele linda, clarinha. Fiquei abismada.

"Agora, numa visão retrospectiva, torna-se muito clara para mim qual a mensagem que eu passei a ela, no plano verbal e não-verbal, uma centena de vezes por dia: Você é uma jóia rara, um anjo, uma princesinha.

"Bom, aprendi como é duro conviver com uma princesa. Afinal, princesas pertencem ao mundo da fantasia. Porque, na vida real, é um inferno viver com elas."

O Dr. Ginott teve um sorriso largo. "Quando é que você descobriu que a criança tem sangue azul?"

"Há três semanas", disse a Lee, "depois que ouvi a Nell contar aquelas coisas do Kenneth. Fui para casa e pensei 'Graças a Deus não tenho o problema dela. Aqui em casa ninguém representa papéis.' Daí, a Susie entrou na sala e disse, 'Escove o meu cabelo. E escove direito, desta vez!'

"Olhei para ela e pensei: 'Será que ela sempre fala desse jeito?'

"Nos próximos dias, fiquei de olho nela. E vi como ela funcionava. Tudo o que queria, ela conseguia. Primeiro, vinha a ordem.

Se não desse resultado, ela passava ao seu método infalível, maus modos e choradeira. Essa menina conseguia tudo de todos – dos irmãos, do pai, dos avós, das amigas – e não dava nada em troca. Ah, se tivéssemos muita sorte, ela nos concedia de vez em quando um sorriso.

"Não mais que de repente, deu o estalo em mim. *Minha princesinha é uma pirralha mimada.* O mais duro de engolir foi que o Hank, meu marido, vinha me falando há anos, mas eu nunca ouvia. E mais, sempre que ele tentava endurecer com ela, eu interferia. Não, ninguém jamais podia ser bruto com ela!

"Comecei a sentir um nó nas tripas. Andei pela casa resmungando coisas que ia dizer a ela como: 'Ô, menininha, talvez você não saiba, mas seu reinado acabou.' 'Ô, boneca, você está precisando é de umas boas palmadas no bumbum.'

"Daí, comecei a me sentir culpada. Afinal, do que é que eu estava culpando a Susie? Não era culpa dela. Eu é que a tinha transformado em princesa. Eu é que levara todo mundo a fazer-lhe as vontades."

Lee fez um gesto de "deixa pra lá". "Bom, é uma história antiga, essa. O problema, agora, é este: como desfazer o malfeito? Como é que vou transformar uma pirralha numa pessoa, num ser humano?"

A pergunta ficou no ar. Olhamos vagamente umas para as outras. A maioria de nós ainda estava tentando absorver o fato de que era a Lee que tinha esses problemas – a Lee, que sempre fora tão forte e tão espirituosa, e que levava seus filhos numa boa. No entanto, lá estava ela, a mesma mãe, completamente desmoralizada por uma menininha. Desejávamos poder encontrar imediatamente uma solução para ela.

A Lee, porém, não estava esperando respostas. "Meu primeiro impulso", continuou ela, "foi endurecer com ela, entrar de sola, puni-la, revogar seus privilégios. Então me lembrei, Dr. Ginott, que o senhor disse tantas vezes: 'Para fazer um ser humano, a gente tem de empregar métodos humanos.'

"Isso realmente me fez pensar. Pensei no assunto o dia inteiro – enquanto estava na banheira, na fila do supermercado, ou sentada na cadeira do dentista. Até sonhei com isso de noite. Por fim, elaborei um plano em dois tempos:

1. Eu não ia mais me deixar manipular.

2. Ia procurar as formas de transmitir à Susie outra mensagem, outra imagem de si mesma. Não a Susie princesa, mas a Susie, um belo ser humano.

"Bom", disse Lee, como que sobrecarregada de um grande peso, "meu novo programa já entrou em vigor, e espero estar na pista certa, porque, até agora, a única mudança partiu de mim. Da Susie mesmo, houve bem pouca resposta".

"Em que você diria que mudou?" perguntou o Dr. Ginott.

Lee ergueu um punhado de papéis. "Receio que a resposta tomasse o resto da sessão."

O Dr. Ginott tranqüilizou-a: "Que leve o tempo que levar".

Lee sentou-se mais para a frente. "No começo, eu era como um gato, sempre pronta a reagir ao menor sinal de qualquer pequena ou grande consideração. Se a Susie fizesse apenas uma vez algo que demonstrasse estar ela pensando nos outros, eu deixaria claro que havia percebido. Mas ela não me dava qualquer material para trabalhar em cima. Então, fiz uma coisa... Será que parece loucura?

"Um dia, depois da escola, a Susie estava, como era seu costume, acabando com a última caixa de biscoitos que havia em casa. 'É típico', pensei cá comigo, 'jamais lhe ocorreria deixar um pouco pros irmãos.' Ela se abaixou para coçar a perna, e nisso eu agarrei a caixa. E disse: 'Foi muito atencioso de sua parte, meu bem.'

"Ela pareceu confusa.

"Eu continuei: 'O Jason e o Michael vão gostar muito mesmo de você ter deixado uns biscoitos para eles.' Ela abriu a boca, mas não disse palavra.

"Ponto a favor!' pensei. Mas, quantas vezes eu seria capaz de repetir a proeza? Tinha de haver um jeito melhor. E então esse jeito ocorreu. A maneira de ensiná-la a ser mais generosa era eu ser mais generosa. Quero dizer, fazer por ela algo que costumeiramente não faço. As crianças nunca levam em conta a roupa lavada e passada, a comida pronta, ou o fato de a gente servir de chofer para elas. Isso tudo lhes parece cair pronto do céu. Então, aquela noite, enquanto ela fazia seu dever de matemática, levei-lhe um copo de sodinha com uma pedra de gelo.

" 'Por que é que você fez isso?' ela perguntou, surpresa.

" 'Achei que você gostasse de um agradinho de vez em quando', respondi.

"Bem, pode não haver ligação entre uma coisa e outra, mas, na tarde seguinte, Susie fez algo que me deu alguma esperança. Eu tinha adormecido no sofá, quando a ouvi gritar para os meninos: 'Calem a boca! Não vêem que a mamãe tá dormindo?'

"Aquilo me despertou, claro, mas, aleluia, ela finalmente me fornecia algo sobre o que trabalhar! Quando o Hank voltou, contei-lhe o que acontecera – num tom fingidamente baixo, de modo que a Susie pudesse ouvir 'por acaso'. Contei a ele que eu havia cochilado, que os meninos estavam fazendo muito barulho, e que a Susie tinha vindo em meu auxílio e os fizera ficar quietos para que eu pudesse descansar um pouco.

" 'Ah, mas foi muita consideração da parte dela', disse o Hank no mesmo tom.

"No resto da noite, ela esteve muito tratável.

"Bom, até aqui falei da parte boa da história, dos melhores momentos, em que consegui atingir um pouco a Susie. Mas o resto foi jogo duro, pedreira total.

"Logo descobri que, quando a Susie não consegue o que quer, fica malcriada. Fui chamada de tudo, desde 'burra' a 'mesquinha' e até ela chegou a me dizer 'você não é uma mãe de verdade'. E às vezes, deliberadamente, ela dizia 'Não gosto mais de você'.

"Eu sempre levava a pior. Sabem o que me salvou? Uma pequena frase escrita no meu caderno: *Há ocasiões em que os pais devem agir, e não reagir.* Agarrei-me a essa idéia."

"E o que é que ela significava pra você?" perguntou o Dr. Ginott.

"Significava: pare de gastar suas energias para ser machucada ou tentar defender-se. Comece a usar suas habilidades para ajudar a Susie a mudar... Bom, não foi mole. Em primeiro lugar, ela precisava aprender de novo a conversar. Estava tão acostumada a pedir e conseguir, que não devia conhecer outro jeito de se relacionar. Estava em mim mostrar-lhe que havia outras possibilidades.

"Então eu comecei. Quando ela gritava, do banheiro, 'Manhê, cê esqueceu outra vez de me trazer a toalha!', eu gritava de volta: 'Susie, só vou entender o que você quer, se você disser: 'Mamãe, será que dava pra você me trazer a toalha?'... Ainda espero que algum dia ela se acostume à idéia.

"De outra feita, quando eu não a queria deixar ver televisão antes de fazer a lição, ela me chamou de mesquinha e disse que me odiava.

"Eu respondi, indignada: 'Não gosto que você fale comigo desse jeito! Se algo lhe desagrada, diga então: 'Mamãe, isso me deixa com raiva! Eu queria fazer a lição depois de ver televisão esta noite. Desse jeito, vou saber o que você está sentindo, e veremos se se pode fazer algo a respeito.'

"Da próxima vez em que ela me chamou de mesquinha, eu estava num estado de espírito menos generoso. Mas ainda assim não a insultei. Eu acabara de gastar duas horas e sete dólares comprando o material escolar dela: para aritmética, um tipo de caderno, para linguagem, outro, para lição de casa, outro. E, depois de tudo isso, uma fedelhazinha me chamava de 'bruxa mesquinha' só porque eu me recusava a andar uma quadra para ir até a máquina de chicletes.

" 'Minha jovem,' disse eu, 'deixe-me dizer-lhe algo sobre sua mãe. Quando você a xinga, de mesquinha, por exemplo, isso dá a ela o desejo de ser mesquinha mesmo!' Eu disse com tanta convicção, que qualquer criança normal teria voltado atrás. Mas não a Susie. Ela começou a me dar outra resposta. Cassei-lhe o mandato e disse: 'O que espero ouvir de você é isto: 'Obrigada, mamãe, por ter ido a três lojas diferentes para comprar todo o meu material. Obrigada, mamãe, por ter me comprado uma caixa de lápis de cera. Obrigada, mamãe, por ter esperado pacientemente até que eu encontrasse exatamente o estojo de lápis que eu queria.' "

Algumas mulheres aplaudiram.

"Não, não fiquem entusiasmadas, não", disse a Lee, zombeteiramente. "eu pareço durona, não pareço? Como se eu tivesse todas as respostas. Mas, creiam-me, houve muitas ocasiões em que eu teria entregado os pontos, se meu marido não estivesse comigo"

"Não quer nos dar um exemplo específico?", perguntou o Dr. Ginott.

Lee pensou um pouco. "Sábado passado", disse ela, "a Susie queria que uma amiga dela fosse dormir lá em casa. Eu lhe disse que sabia que isso significava muito pra ela, e que gostaria de poder dizer que sim, mas, já que íamos ter visita aquela noite, eu tinha de dizer não.

"Achei que tinha me expressado maravilhosamente bem. Mas a Susie não se impressionou. Desferiu um ataque frontal. Bateu o pé e berrou: 'Mas que estupidez! Você só sabe pensar em si mesma e nos seus amigos estúpidos!'

"Eu estava tão desgastada que quase optei por deixar passar mais essa. Eu pensava: 'Faça o que quiser. Tenha amigos, não tenha amigos, sei lá. Só me deixe sozinha,' Mas, felizmente, o Hank estava na sala e ele ficou firme. Ele disse: 'Ouvi sua mãe dizer que a ocasião hoje não é muito boa para hospedar uma amiga sua.'

"Susie não se deu por achada. Estava acostumada a ter o pai contra ela. Deu uma risada estridente, subiu correndo para o quarto dela e se jogou no chão, continuando a dar coices e a gritar.

"Súbito, senti uma incontrolável vontade de puxá-la do chão pelos cachos – aqueles louros e longos cachos – e dar-lhe umas palmadas, com força. Eu disse ao Hank: 'Não agüento mais esse berreiro. Vou subir lá e matá-la!' "

"Ele me reteve.

" 'Então, vamos deixar ela chamar a maldita amiga pra dormir aqui', rosnei, 'antes que ela faça a casa vir abaixo.'

" 'Também não vamos deixar que ela nos intimide', disse calmamente o Hank. Aí, ele pegou uma folha de papel e escreveu:

Querida Susie,

Podemos ouvir como você está aborrecida.

A gritaria não é uma maneira aceitável de você externar seu protesto.

Assim que você estiver em condições de escrever ou conversar, mamãe e eu estamos interessados em ouvir o que você tem a dizer.

Papai

"O Jason foi entregar a carta, e depois disso não ouvimos mais um som. Depois, ele nos contou que ela viera ter com ele para perguntar o que significavam algumas palavras; depois, foi para cama.

"Senti-me frustrada. Eu esperara que, com um recado tão bonito, minha filha pudesse ter vindo a nós e conversado. Talvez eu estivesse esperando demais. Por outro lado, havia um saldo positivo. Não sei se vou conseguir explicá-lo, mas me senti bem durante toda aquela noite em companhia de meus amigos, me senti quase orgulhosa. Eu e Hank tínhamos nos conduzido como pais maduros. Não havíamos deixado que uma garotinha de sete anos nos fizesse descer ao nível dela."

O Dr. Ginott comentou gravemente. "Ser capaz de lidar com uma situação difícil, de uma maneira que não viole nossos valores, pode ser profundamente gratificante, Lee. Sabe, eu raramente me entrego a predições, mas agora posso dizer-lhe, finalmente vocês vão ver mudanças. Criança alguma resiste por muito tempo a esse tipo de abordagem. A combinação de energia e humanidade é muito poderosa."

"Espero que o senhor tenha razão", disse a Lee. "Às vezes me sinto bastante baqueada. Embora ontem tenha acontecido algo que me fez pensar que talvez tenha havido uma brecha na linha de defesa dela."

Diversas vozes perguntaram: "Que aconteceu?"

"Meu pai veio nos visitar", explicou a Lee, "e trouxe um presente para Susie. Ela rasgou o embrulho aos trancos, e a cara dela caiu. 'É a Emília* pequenininha', disse ela, acusadora, 'eu queria era a grande!'

"Meu pai ficou branco. 'Querida', disse ele, 'e você acha que o vovô não tentou? Corri todas as lojas. No fim tive que fazer um pedido especial. Eu disse ao homem da loja que queria a maior Emília que houvesse, para minha netinha querida. E foi só esta que eles conseguiram.'

"Susie empurrou a caixa para o lado. 'Não quero esta. Quero a grandona.'

"Costumeiramente, eu teria dito, 'Papai, ela não entende. É só uma criança. Daqui a pouco ela esquece.' Vocês percebem? Eu estava sempre lá, para desculpar no ato as malcriações dela. Dessa vez eu levantei, peguei a Susie pela mão e disse. 'Com licença, Vovô.'

"Levei-a para o meu quarto e fechei a porta. Bem devagarinho, eu disse: 'Susie, quando alguém se deu ao incômodo de comprar um presente para a gente, esse presente deve ser aceito com um muito obrigada.'

"Mas ele trouxe a boneca do tamanho errado", choramingou ela.

"Eu sei,' disse eu, 'você estava esperando uma coisa e recebeu outra.'

---

* A referência, no original, não é a da boneca Emília, aqui usada apenas para dar ao leitor brasileiro a idéia duma boneca bem popular (N.da T.).

"A Susie assentiu, em lágrimas.

" 'Num caso como este', disse eu, 'uma boa idéia é esperar até que a pessoa que nos deu o presente tenha ido para casa. Daí, você pode contar à sua família ou aos seus amigos como ficou desapontada... Sabe por quê?'

"Susie hesitou. 'Pra não ferir os sentimentos da pessoa?'

" 'Você disse muito bem', eu disse. Então esperei.

" 'Você acha que o vovô ficou sentido?' perguntou ela.

" 'Que é que você acha"? respondi.

"Ela deu de ombros. 'Bom, não importa!'

" 'A mim me importa. Acho que alguém precisa fazer com que o vovô se sinta melhor.'

" 'Você faz isso.'

" 'Muito bem, vou fazer', disse eu. 'Mas pense em alguma coisa você também!.'

"Voltei à companhia de meu pai e durante alguns minutos perdemos a Susie de vista. Quando ela voltou, vinha trazendo para ele um copo de sodinha com uma pedra de gelo.

"Entregou-o ao avô. Ele devolveu-lhe o copo. 'Não, meu bem, beba você', disse ele."

"Eu queria emendar a coisa. Pela primeira vez na vida, minha filha agia como gente, e meu pai voltava a fazer dela uma princesa.

"Nervosa, esperei para ver o que ela ia fazer. Por um momento, ela pareceu confusa. Daí, passou novamente o copo ao avô, e disse: 'Não, vovô, fiz para você. Achei que você gostasse de um agradinho de vez em quando.'... Bom, interiormente, eu estava quase rompendo em lágrimas. Pensava: 'Ela vai conseguir. Ainda vai se tornar um ser humano!' "

Naquele momento, ouvindo a Lee, também tínhamos vontade de chorar. Várias pessoas começaram a parabenizá-la, mas ela nos deteve.

"Vejam bem, não estou me iludindo. Sei que é apenas o começo do começo. Levei sete anos para fazer dela uma princesa, e poderia bem levar outros sete para desfazer o malfeito. Mas não vou desistir."

O olhar de Lee perdeu-se numa recordação longínqua. "Sabem, tive uma vez uma plantinha no peitoril da janela. Eu nunca entendia por que ela parecia tão tortinha. Até que um dia me deu o estalo. É que um lado da coitada não estava pegando luz alguma. Daí, virei-a ao contrário, e pouco a pouco a planta toda começou a crescer direitinha.

"É assim que tenho pensado ultimamente nos meus filhos – que eles são como plantinhas. E, se a gente os virar para o sol, eles também vão crescer direitinho."

O Dr. Ginott pareceu pensativo. "E não basta virar a planta", disse ele, "viramos o sol."

3. O Choramingas

Por que Eu não consigo virar o Sol pra Ele?

Saí daquela reunião morrendo de inveja. Já na rua, as mulheres se dividiram em grupinhos – conversando, discutindo, rindo umas com as outras. Deixei-me ficar para trás, de propósito. Eu não queria conversar com ninguém.

Eu pensava: "Por que é que não posso ajudar o Andy desse jeito? Por que é que não consigo libertá-lo da choradeira, das queixas, da infindável autopiedade? Por que é que eu não consigo virar o sol pra ele?"

Normalmente, eu evitava pensar sobre o Andy, exceto para dizer a mim mesma que ele estava passando por uma fase. Agora, eu exigia toda a minha concentração. Como é que uma criança viva e expansiva se torna retraída e infeliz?

Eu examinava cada possibilidade. Será que o fato de ele ter ficado doente tantas vezes, naquele primeiro ano da escola, fora para ele mais duro do que eu imaginava? Todas aquelas dores de garganta e de ouvido, as constantes séries de antibióticos e a constante medição da febre. E ele nunca estivera bom durante tempo suficiente para fazer um amigo. Será que isso tudo tinha afetado sua disposição?

Eu ficava imaginando se teria sido algo que eu fizera ou deixara de fazer. Talvez eu o tivesse mimado demais naquele ano. Mas, que podia eu fazer, quando ele estava sozinho e queria companhia, ou quando estava irritado e precisava ser consolado: empurrá-lo para um lado? Abandoná-lo?

O pai dele pode muito bem ter contribuído também para o problema. Ultimamente, ele tem sido demasiado crítico. Não que eu o censure por isso. Afinal, qual o homem que agüentaria ouvir toda uma torrente de lamúrias do filho, dia após dia, sem ficar chateado? ("Quem pegou meu sapato?... Tô com fome... Quebrou de novo... Não consigo... Não é minha vez... O dele é maior... Você nunca me leva.")

Ah, como eu queria que eles voltassem a se relacionar bem como antigamente! A criança não pode crescer sob críticas constantes. O Andy esperara o dia todo para mostrar ao pai sua última invenção, e o Ted tinha realmente tentado apreciá-la. Ted foi até um entusiástico "Ah, mas o que temos aqui!" e daí então a velha e familiar expressão de reprovação se fez ouvir: "Olhe só para você! Derramou cola em todo o suéter novo, e ainda nem acabei de pagá-lo! Será que não dava para você inventar qualquer coisa, uma vezinha só, sem fazer essa sujeirada?" O Andy ficou arrasado.

O David também não ajuda muito. Mas o que é que eu poderia esperar de um garoto de onze anos? Principalmente quando esse menino viu os cuidados da mãe se deslocarem para o irmão menor, sempre sob o pretexto de 'você já está grande demais para isso'. Acho que não há mistério no fato de ele atormentar o Andy sempre que pode.

Muito bem, então não é culpa de ninguém em particular. Mas justamente uma combinação de circunstâncias. Mas, e daí?

A voz da Helen se insinuou em meus desesperados pensamentos. "Jan, devia ver só a sua cara! Algo errado?"

Tentei sorrir, mas não consegui. De repente, rompi em lágrimas. "Helen, estou apavorada com o Andy. Acho que ele não é como os outros meninos da mesma idade. Ele é tão imaturo. Quero dizer, quando uma criança tem oito anos, deveria ser um pouco tolerante em relação à frustração, não é mesmo? Mas o Andy se arrebenta por qualquer coisa – coisas grandes e pequenas. Isso não é normal. Um lápis quebrado, uma arranhão no dedo, o gato que morre – para ele é tudo a mesma coisa. Bem, você sabe, você já viu, não é mesmo? Ele age, quase todo o tempo, como um bebezinho indefeso e chorão."

A Helen parou de andar. "Calma lá", disse devagar. "Acho que sei do que você está falando. Conheço o lado sensível do Andy, o lado que se perturba facilmente. Mas esse não é todo ele. Quando penso no Andy, penso num menino ousado e criativo. Ele não copia as coisas, ele cria. Ele conceitualiza."

Eu não sabia do que ela estava falando. "Você se refere àquelas pequenas invenções dele?"

"Pequenas!" A Helen ficou indignada. "Acho que algumas são pequenas em escala, mas nenhuma delas é pequena no espírito. Isso que vem naturalmente ao Andy é aquilo que todo artista só atinge depois de uma vida inteira de trabalho – a coragem de arriscar, de mergulhar no inexplorado."

"Helen, você está sendo gentil, e aprecio isso, mas..."

"Não, não estou sendo gentil", contestou Helen. "Estou falando objetivamente do Andy, embora do ponto de vista de uma artista, e digo-lhe que, para produzir trabalhos daquele calibre, é preciso grande concentração, persistência e maturidade."

"O Andy, maduro?". Era assombroso.

A Helen continuou. "A choradeira e as queixas são temporárias. Talvez seja esta a maneira que ele encontrou de fazer vocês saberem que algo o está chateando... mas Jan, o trabalho dele fala por ele." Abracei-a bem ali, no meio de rua.

"Para que isso?" perguntou ela.

"Você sabe."

Mais uma palavra e eu teria chorado.

Falei com o Ted aquela noite. Tranquei a porta do quarto e disse tudo – sobre a Nell, a Lee, a noção dos papéis e dos papéis contrários – todo o conceito de se ajudar a criança a mudar, mudando-se a maneira de vê-la. Depois falei a ele o que a Helen tinha dito sobre o Andy, e o que significara para mim a imagem que ela fazia dele.

Ted ouviu impassível. Tornei-me mais eloqüente. Queria que ele compartilhasse daquela nova luz. Expliquei que talvez a maneira pela qual eu percebia o Andy fosse realmente o seu grande problema, que ele só seria capaz de ver-se de outra forma no dia em que eu deixasse de vê-lo como imaturo e precisando de proteção. Daí, falei de minha determinação no sentido de visualizá-lo de maneira diferente.

O que tive de dizer em seguida foi duro para mim. Eu não sabia como colocá-lo com tato. Eu disse ao Ted que precisava da ajuda dele. Pedi-lhe que não fosse ríspido com o Andy, porque isso despertava o meu lado ruim. Uma palavra dura e eu saía correndo a defender o meu "pobre nenezinho" do "monstro" do seu pai.

Foi como se eu abrisse uma ferida ulcerada. Ted falou amargamente de seu ressentimento em relação a mim. Disse que sentia que eu freqüentemente o colocava no papel do brutamontes, do macho insensível, e que eu estava cavando um abismo entre ele e o filho.

Fiquei chocada. Não imaginava que o Ted pudesse sentir isso. Eu não queria nem pensar nas implicações. Rapidamente, jurei que isso não tornaria a acontecer, que eu seria diferente daí por diante. Daí implorei ao Ted que ele também fosse diferente. Lembrei-lhe o incidente da cola no suéter. Eu disse: "O Andy quer desesperadamente a sua aprovação. Ele não agüenta o seu sarcasmo. Quando ele fizer algo errado, apenas lhe dê uma dica, no gênero 'Quando for trabalhar com cola, use roupas velhas.' Você vai ver, ele vai apresentar resultados... Bem, você ia saber o que eu quero dizer, se estivesse indo ao grupo de pais do Dr. Ginott. Ted, será que você não se interessaria em juntar-se ao grupo?"

De repente, o Ted ficou carrancudo. "Não, não estou interessado, não", disse entredentes. "Já entendi, e vou fazer um esforço com o Andy, porque eu quero. Mas tem de ser o meu esforço, do meu jeito. Não ponha as palavras na minha boca. Se eu disser alguma coisa que não merecer a sua aprovação, não quero que me corrija. E também não quero avaliações!"

Houve uma batidinha na porta, e a voz da Jill: "O que vocês estão fazendo? Vocês ficaram aí a noite toda. Preciso do papai para me ajudar na lição de casa."

Ted saiu.

De súbito, senti-me morta de cansaço. Quando acordei, era de manhã. Percebi que havia dormido de roupa e tudo.

Mudanças e mais mudanças – algumas dramáticas, outras mal perceptíveis – sucederam-se ao tumulto daquele dia. Durante os próximos seis meses, fui relacionando num diário os fatos e pensamentos que me pareciam significativos.

Um Novo Papel para o Andy

NO DIA SEGUINTE

Mal posso esperar para pegar o Andy e apresentá-lo às suas qualidades, até aqui não cantadas – imaginação, audácia, perseverança, maturidade.

Lá vem ele, pijama caindo, nariz correndo, choramingando: "Não vou na escola hoje." Ponho a mão na testa dele. Está fresca. Antigamente, um simples nariz correndo garantiria a ele um dia em casa.

Agora não. Hoje inicia-se uma nova era. De hoje em diante, ele vai parar de pensar em si mesmo como doente. Digo a ele: "Você não tem febre, benzinho. Quer tomar o café antes de se aprontar para a escola, ou depois?"

Andy me olha incrédulo. E então ele diz: "Vou me vestir antes."

É a minha vez de ficar boba. Ele vai mesmo à escola.

NO MESMO DIA

O Andy volta da escola com um pedido de inscrição no Dente de Leite e um aviso de que haverá testes de classificação daqui a um mês. Olha a minha cara para ver a reação.

Estou embaraçada. O Dente de Leite sempre foi algo que ele abominava. Será que esta manhã determinou a diferença? Espantoso! Mas ele nunca jogou qualquer jogo de bola, antes. E a competição é tão violenta, e já ouvi dizer que alguns dos treinadores chegam a ser bem malcriados. Ele não tem de se expor a isso... E lá vou eu de novo. Preciso parar já com isso, ou ele vai ler nos meus olhos.

Andy: Você acha que eu devia entrar para o Dente de Leite?

Eu: (Traduzo depressa. Ele quer dizer, "Você acha que eu sou capaz?") Quer dizer então que você está pensando em entrar para o Dente de Leite este ano?

Andy: É, mas os treinadores gritam com a gente se a gente perde a bola, e os meninos gozam da cara da gente.

Eu: Acho que pode ser desagradável. Mas sabe do que mais, Andy? Acho que você pode tirar isso tudo de letra.

Andy: É. Bom, quem sabe eu entre no ano que vem. Não sou muito bom pegador.

Então, era só um balão de ensaio. Mas ele está considerando a possibilidade. Talvez, com um pouco de prática e incentivo, ele acabe entrando este ano.

Agarrei o Ted assim que ele pôs os pés na porta.

Eu: (Tentando não parecer histérica) "O Andy andou falando em entrar para o Dente de Leite! Você vai ter de sair com ele e ensiná-lo a jogar bola. Temos só um mês para deixá-lo em forma!"

DOMINGO

O Ted está levando o Andy ao parque para treinar. Ambos saem de muito bom humor. Tomara que tudo saia bem.

Duas horas depois, entram em casa, quietos. Andy vai direto para o quarto e bate a porta. Ted me lança aquele olhar de "Ah, você e as suas idéias brilhantes". E descreve toda a catástrofe.

Ted: Tudo o que o seu filho quis fazer foi alimentar os patos e recolher pedras. Andei por lá, com ele, que nem um imbecil, tentando interessá-lo em apanhar a bola. Cinco minutos antes de virmos embora, ele me fez um grande favor. Me deixou jogar bola para ele. Sabe de uma coisa? Ele tem dedos de macarrão!... Olha, não me arrume mais dessas, viu?

Agora, estão danados um com o outro e comigo. O Ted está certo. Eu não devia empurrá-lo em atividades com o Andy. Tudo o que ele fizer pelo filho deve partir dele mesmo.

Eu gostaria de poder sentir-me mais à vontade.

NO DIA SEGUINTE

Eu achava que o domingo tivesse sido negativo. Mas não para o Andy. Ele continua a falar sobre o parque. Pergunta para onde é que vão os patos, quando chove, o que é que eles comem quando as pessoas não levam pão, e se eu já reparei que as pedras mudam de cor, quando molhadas.

Toca-me o deslumbramento dele. Digo, "Você tem tantas perguntas sobre o mundo. Aposto que homens como Galileu e Da Vinci, em crianças, tinham também a sua espécie de curiosidade científica... Andy, pensamentos como os seus merecem um caderno."

"E o que é que eu ia pôr lá?" pergunta ele.

"Ué, quem sabe, as suas perguntas. Talvez, as coisas em que você fica pensando. Quer apostar que, tendo o caderno na sua frente, você vai saber o que escrever?"

DUAS SEMANAS MAIS TARDE

O Caderno de Pensamentos do Andy está cheio de observações – doze páginas. Ele lhe deu o título de "Meu Caderno Particular de Pensamentos". O verbete que mais me agrada é aquele em que ele fez um esboço da própria mão. A legenda diz: "Uma mão é como uma ilha. Cada dedo é uma península."

UMA SEMANA DEPOIS

Andy e eu vamos hoje comprar uma jaqueta de inverno. Para o tamanho dele não há muita coisa na praça. Na terceira loja, ele de repente "apaga". Gritos de tremenda correria, as pessoas param para olhar.

Fico prostrada também. Sem qualquer reação.

Peço a cooperação dele. Ele grita alto.

Me dou por vencida. Vamos para casa.

Na saída, paro numa lanchonete para comermos qualquer coisa, pois há uma longa viagem de volta pela frente. O Andy engole às pressas a comida, e então, diante dos meus olhos, opera-se uma transformação radical: a criança esquálida se transforma num menino afável de oito anos. "Vamos tentar outra loja", diz ele.

Conclusão: quando a criança está sob os efeitos psicológicos da fome e da fadiga, melhor a gente também economizar o fôlego. Uma vitamina de leite maltado vale mais que mil palavras.

UM MÊS DEPOIS

A choradeira continua. Mesmo quando o Andy está contente, os lamentos parecem ser sua única maneira de expressar-se.

A família também não ajuda em nada. Jill e David adoram imitá-lo: "Buá, buá, buá". Tudo o que ele sempre ouve do Ted e de mim é "Pare com essa choradeira". "Tá se queixando de novo." Será que você tem de chorar por qualquer coisinha?"

Estou com medo de que nós todos estejamos apenas reforçando aquilo de que queremos ficar livres. Acho que já é hora de pararmos de ser tão espontâneos. O de que o Andy precisa é de algumas respostas bem preparadas.

NO DIA SEGUINTE

Estou atrapalhadíssima, preparando o jantar, e o Andy zanzando. Bale que nem um carneiro moribundo: "Tô com fóooome... Tô com fóooome... Tô com fóooome!"

Digo: "Andy, quando você estiver com fome demais para esperar o jantar, me diga 'Mamãe, vou pegar um pedaço de pão com manteiga', ou 'Mamãe, vou pegar uma cenoura.' Ou, melhor ainda, vá e pegue!" (Já é uma grande melhora, em relação ao clássico "Tá se queixando de novo!")

DOIS DIAS DEPOIS

Hoje o Andy chega para mim com uma longa história de desgraça. Numa voz acusadora, diz que não ganhou nenhuma folha de papel há dias e que eu sempre digo que vou arranjar papel para ele e não arranjo, e que ele precisava de papel na escola e ninguém ia emprestar para ele e que tenho de levá-lo à loja já e já.

Eu: Andy, estou ouvindo que você precisa de papel e pretendo arrumá-lo para você, mas...

Andy: (Com maus modos) Mas o quê?

Eu: Não gosto do jeito como você pediu. Faz-me sentir como se tivesse um prego raspando o quadro negro. Acho que prefiro você falando de outro jeito. Você sabe, aquela sua voz profunda, agradável, de homem.

Andy: (Com a voz uma oitava mais baixa) Quer dizer, quando falo assim?

Eu: É isso! Você conseguiu!

Andy: (Me olha com cuidado, depois agarra-se à blusa e começa a imitar sua choradeira de sempre) Manhêee, 'quand'é qu'ocê vai me dar papeeeel, hein?... Quer'papelllll!"

Eu: (Tapando os ouvidos com falso horror) Arrgh!
Andy: (A voz dele desce mais uma oitava) Mãe, acho que hoje é um bom dia para arranjarmos papel.
Eu: Você me convenceu.

Aquela noite, depois que ele foi para a cama, ouvi-o conversando sozinho. Estava experimentando as duas vozes!

DOIS DIAS DEPOIS

A mesma choradeira. Com um roteiro diferente.

Andy: Você precisa me levar para comprar material de encapar meus cadernos. A professora disse que vamos tirar zero se não estivermos com os cadernos encapados. Não quero tirar zero. Você disse que ia me levar ontem e não levou.

Era tão agradável que tive de fazer o possível para não imitá-lo. Ergui a mão.

Eu: Andy, por favor, a outra voz!

Ele me ignorou e lançou-se a uma diatribe: eu comprara material de encapar para o David e a Jill e não comprara para ele.

Eu: (Firme e devagar) Andy, você tem uma mãe sem coração.
Andy: (Parece perplexo).
Eu: O problema, agora, é descobrir como amolecer o coração dela, que é de pedra.
(Saí da sala. Cinco minutos depois, o Andy bateu na porta do quarto)
Eu: Entre.
Andy: (Direto e sem rodeios) Mamãe, preciso de material de encapar. Será que você pode comprar pra mim?
Eu: (Prazerosa) Jovem, meu coração derreteu. Vamos.

No carro, eu pensava triunfante: 'A coisa está mesmo começando a funcionar.'

NO DIA SEGUINTE

Estraguei tudo. Voltei da guerra da liquidação de cama, mesa e banho com seis toalhas de banho, quatro lençóis, os pés em frangalhos e dor de cabeça.

Andy: (magoado) Onde você estava? Você disse que voltava para casa às quatro. Estou com fome e não tem nada pra comer. Você comprou alguma coisa pra mim? O que, hein?

O que eu devia dizer: "Ah, você estava imaginando onde é que eu estava? Estava me esperando às quatro?"

Ou: "Isto me soa como se você tivesse quebrado a cabeça pra achar algo para comer."

Ou: "Ah, você esperava que eu comprasse algo para você?'

Nada disso.

Berrei: "Cala a boca! Cala a boca! A tua voz me deixa louca!"

Dois passos para a frente, um para trás. Espero que ele seja tão forte quanto fico me dizendo que é.

UMA SEMANA DEPOIS

Aquela voz, de novo! Desta vez, está dizendo qualquer coisa sobre precisar de dinheiro para mandar vir pelo correio uma bomba especial só encontrável numa loja da Filadélfia. É delicioso observar a sua jovem curiosidade em ebulição, e eu queria ouvir com atenção, mas esse nhém-nhém-nhém me deixa louca. Estou prestes a explodir noutro "Cala a boca". Tem de haver uma alternativa.

Detenho-o no meio da explicação.

Eu: Andy, escreva isso para mim, tá? Vou poder me concentrar melhor no que você está querendo se o vir por escrito.

Ele não gosta disso.

Andy: Escreva! Tá pensando que eu tenho boca para que, hein? Só para ouvir! Preciso de uma bomba a injeção de ar e...

Eu: Por escrito, por favor. Quando eu vir isto por escrito, vou poder pensar com mais clareza. Gostaria de saber exatamente o que é que você está querendo, seus motivos para estar querendo isso, e um cálculo do custo, por cima.

O Andy abala para o quarto dele, num acesso de raiva, mas, antes de ir para a cama, me passa a folha de papel. Está escrito:

Querida Mamãe,
Estou inventando um novo foguete. Os componentes de que preciso são uma bomba a injeção de ar, que custa 1,25 dólar, e um funil de combustível, que custa 75 centavos. Eu te pago.

Te amo,
Andy

Naquela noite, enquanto o Andy dormia, deixei um recado na penteadeira dele.

Querido Construtor de Foguetes,
Sua relação de despesas foi tão clara que me ajudou a entender o que você precisava.
Estão aí dois dólares para o material.
Feliz lançamento!

Te amo,
Mamãe.

DOIS DIAS DEPOIS

Ocorre-me que essa história do Andy está absorvendo toda a minha energia. É a primeira coisa que me vem à mente quando abro os olhos pela manhã, e a última que me sai da cabeça, antes de dormir.

Não admira que a Jill tenha dito: "Você já não liga pra mim". Não admira que o David tenha andado tão ostensivamente atrevido nestes últimos dias. Não admira que, toda noite, Ted se esconda atrás do seu jornal. Tornei-me uma personagem unidimensional – a Mãe do Andy.

Minha vida tem andado fora dos eixos. Eu devia passar mais tempo com a Jill. Devia ir com o David olhar aquela nova trava de bicicleta que ele está querendo que eu veja.

Mas, principalmente, eu devia começar a prestar mais atenção ao Ted e a mim. Seja quem for que disse que os filhos aproximam o casal, esse cara positivamente não sabia o que estava falando. Parece-me que a maternidade e a paternidade são enormes embaraços à condição do homem e da mulher. Bem, hoje à noite eu e o Ted vamos jantar sozinhos – frango com cogumelos e vinho. Faz meses que não faço esse prato, porque o Andy detesta.

E vou aceitar aquele convite para o baile de ex-alunos da turma do Ted este ano. Vou mandar o *smoking* dele para o tintureiro e comprar um vestido de baile novo pra mim. Por que não? A vida, afinal, não se resume no Andy!

UMA SEMANA DEPOIS

Ainda estou chocada com o que ouvi esta tarde. Entrei na cozinha e encontrei o Andy chorando sobre um sanduíche de queijo quente.

Andy: (Choramingando) Queimei ele! Queimei ele!

Eu: (Dando de ombros) Ô, Andy! Aquela voz, de novo! Isso me irrita. Basta dizer, "Saco, meu sanduíche queimou! Vou ter de fazer outro."

Andy: (Olha para o sanduíche estragado, depois fala, num fiozinho de voz) Mas... se eu falar desse jeito, você não vai ficar com peninha de mim...

"Deus meu!", pensei. "Ele está dizendo que quer que eu tenha pena dele!" Não soube o que responder, e assim não disse nada. Mas durante o dia inteiro, não consegui tirar da cabeça as palavras dele.

Então, é assim que ele se vê – uma pessoa que não tem valor algum para mim, a menos que seja objeto da minha piedade?... Que carga terrível para uma criança, achar que tem de ser objeto de pena para ser amado!

Talvez ele ache que essa é a maneira de fazer-me feliz – de satisfazer minhas necessidades.

E são essas as minhas necessidades? Acho que não. Será que já foram, algum dia? Talvez – um pouco... Bem, nunca mais, Andy. Se é que isso está acontecendo, então, nunca mais.

TRÊS DIAS DEPOIS

Algo mudou dentro de mim. Ouço-o em minha voz. Ela perdeu seu tom de desespero. Pareço ter menos necessidade de ser a Extraordinária Mãe Terra, a Todopoderosa Dispensadora de Conforto Imediato.

Não que o Andy não tente aguçar os velhos sentimentos. É só que estou reagindo de maneira diferente. Já não estou pensando no que dizer ou em como dizê-lo. As palavras me vêm de uma fonte mais profunda. Agora sei que meu filho precisa sentir sua própria força, experimentar seu próprio poder – não o meu. Olho para o Andy e espero que ele possa fazê-lo. Espero que ele venha a fazê-lo.

Um Menino Precisa de um Amigo

UMA SEMANA DEPOIS

Hoje encontrei a Helen. De repente, eu estava contando a ela tudo o que tem acontecido com o Andy nestes últimos dois meses. Que prazer, falar com ela! Por um momento, sinto o calor da aprovação dela. Depois, ela pergunta se o Andy fez novos amigos este ano. Explico a ela que os meninos do edifício há muito o excluíram de seu círculo, e que os meninos da classe dele são todos, segundo a definição do próprio Andy, um bando de cabeças ocas.

"Um menino precisa de um amigo," diz a Helen.

Alongo-me em explicações. Conto a ela como Andy está contente, em casa, com suas coleções e invenções.

"Mas ele precisa de um amigo", repete a Helen, "você não pode ser o amigo dele."

Fico irritada. "Isso, também? Será que vou ter de arrumar um amigo para ele, também?"

"Não, mas pode colocá-lo numa posição em que ele se veja capaz de arranjar um, sozinho!"

"Mas como?"

"Tente aconselhar-se com a professora dele", diz a Helen. "Isso seria muito bom, como primeiro passo."

De súbito, recrimino-me interiormente por ter-me aberto tanto. A Helen é uma pessoa maravilhosa, e tudo o mais, mas de vez em quando consegue ser arrogante.

NA MESMA TARDE

Muito bem. Vou falar com a professora.

Tenho a impressão de que ele precisa ligar-se a outros meninos. Acho que ele já ficou demais na barra da saia da mãe. Na verdade, não há motivo por que ele não conseguisse fazer amigos. Ele precisa só de um empurrãozinho.

NO DIA SEGUINTE

Tive uma entrevista com a Sra. Miller, obviamente, sem o conhecimento do Andy. É uma professorinha jovem, entusiasta, louca para ajudar e cheia de idéias. Sugeriu:

1. Colocá-lo para trabalhar com outro menino num cartaz para a classe.
2. Encarregá-lo da seção de ciência.
3. Deixá-lo escolher "assistentes" para limpar a gaiola do *hamster* e trocar a água da tartaruga.
4. Dividir a classe em pequenos grupos de trabalho extraclasse.

Depois ela me deu nomes e telefones de alguns meninos que, segundo achava, pudessem "se afinar" com o Andy. Sugeriu que eu os dirigisse em alguma espécie de atividade grupal.

A caminho de casa, eu ia pensando: "Boliche! É, de todos os esportes, o que o Andy vê com menos descaso é o boliche."

NO DIA SEGUINTE

Andy mostrou-se frio com respeito à idéia de formarmos um grupo de boliche. "Por que não podemos ir nós dois sozinhos, só eu e você?", disse ele.

Murmurei qualquer coisa sobre um clube. A palavra "clube" deixou-o elétrico. "Vamos ter um clube de boliche!" gritou. "Vamos nos reunir toda semana."

Então será um clube. Fiz as ligações. Todos os meninos estão interessados, e todo mundo está livre na quinta-feira. Andy prepara uma lista de compras. Amanhã vamos comprar soda e biscoitos para a primeira reunião do Clube de Boliche. Entramos no negócio.

NA QUINTA-FEIRA

Um fiasco.

Os biscoitos, escolhidos com tanto cuidado, estão jogados pela sala, espirrou soda até no teto, os meninos são estusiasmados e camaradas – mas só entre eles. O Andy é um intruso em sua própria casa. Já não quer mais o clube. Pois foi quem conseguiu a marca mais baixa no boliche. Faço mais uma tentativa. Inútil.

O clube se dispersa.

NA SEXTA-FEIRA

Não é bom para o Andy ficar em casa a tarde toda. Pois ou ele senta em frente à televisão que nem um zumbi, anda atrás de mim pela casa feito um cachorrinho, ou então briga com o David.

Ele precisa sair com outros meninos da sua idade! Estou começando a parecer um disco quebrado. "Andy, por que não convida alguém pra sair hoje?", "Certamente deve haver alguém da sua classe com quem você gostasse de brincar". "Um menino precisa ter amigos pra brincar de tarde."

O Andy está ressentido e resistente.

Torno-me mais sutil: "Algum menino que goste de inventar coisas ia ficar muito contente de se encontrar com você."

Ainda não funcionou. Sei o que é que o está segurando. É a minha ansiedade. Ele sente o quanto estou torcendo por ele, e isso o faz arrefecer.

Como é que vou arrancá-lo de casa?

TRÊS DIAS DEPOIS

Já sei o que fazer. Vou sair. Já faz um ano que aquela máquina de costura nova está aí, encostada, e ainda não sei como enfiar a agulha.

Saio procurando um curso de costura vespertino e digo ao Andy para arranjar o que fazer durante uma hora, na terça-feira, já que não vou estar em casa.

Parece que o "peguei". Ocupo-me em me desembaraçar da roupa para lavar e tento não notar o pânico dele. Ele me observa por um momento, enquanto dobro metodicamente os lenços do Ted. Depois, propõe: "A minha professora disse que eu tenho de ficar na escola, depois da aula, para bolar um cartaz com o burro do Jim Plunkett. Então vou falar para ela que eu vou ficar nas terças-feiras."

Bendita Sra. Miller, mil vezes bendita! Ela conseguiu, afinal.

UMA SEMANA DEPOIS

O Craig telefona. É um dos meninos do extinto clube de boliche. Quer que o Andy vá à casa dele brincar. O Andy não quer, então o Craig vem aqui.

No começo, eles se estudam. Craig pergunta: "Que é que você quer fazer?". E o Andy: "Sei lá, que é que você quer fazer?" Pouco depois, vejo os dois lá fora, mexendo na garagem. Por fim, ei-los de volta, com o velho ancinho do Ted, e alternam-se juntando um montão de folhas. Fico vendo-os esconderem-se debaixo da pilha de folhas, como esquilinhos. Por instantes, nada se mexe. E então, de repente, voam folhas outonais, vermelhas e douradas, para todo canto, e os dois meninos apareceram – gritando, rindo, jogando as folhas para cima e um no outro.

Depois, dentro de casa, tomam chocolate quente e conversam animadamente. Craig fala de suas cobras de estimação e Andy conta sobre como a sua Gerbilo teve filhotes.

Nessa noite, depois de o Craig ir embora, vejo outra vez o velho Andy – alegre, entusiasta, sociável e expansivo. E esse estado de espírito continua noite adentro. Ele até se oferece para emprestar ao David a caneta nova.

NO DIA SEGUINTE

O Craig volta a telefonar. Dessa vez, o Andy concorda em ir lá. É a primeira visita dele à casa de um amigo, num ano! Puxa, esta foi uma semana de "estréias"!

Andy volta para casa exuberante.

UM MÊS DEPOIS

A amizade com Craig está progredindo. Devagar, mas vai indo. O Andy vai lá outra vez, no sábado, brincar. O Craig está recebendo também outro amigo. Os dois meninos se juntam e jogam areia no Andy. Ele volta para casa correndo, nervoso e contrafeito. Está com areia no cabelo, nos olhos e na boca.

Entre soluços, conta a história. Ted entra, vê o menino choramingando e diz: "Quando é que você vai aprender a falar como um ser humano, hein? Será que tem de parecer sempre um nenê chorão?"

Andy me olha chocado. Esconde o rosto contra o meu estômago e ouço-o dizer num fiozinho de voz: "Quando eu crescer, vou ser mãe."

Nessa hora, se tivesse qualquer coisa na mão, bateria com ela no Ted. Ao invés disso, porém, cuido do Andy. Levo-o para o banheiro e trato de limpá-lo.

Daí, vôo para o Ted. Não posso mais guardar aquilo. Conto a ele o que aconteceu com o Andy hoje e lembro-lhe como me tem sido penoso construir a auto-estima dessa criança. E grito: "E daí você entra que nem um touro numa loja de porcelanas e quebra, quebra, quebra! Será que não percebe o estrago que está fazendo? Você não liga, não? É seu filho também, não é?"

Ted olha-me friamente. "Fico pensando", responde, "às vezes juro que não sei." Dá-me as costas e sai.

Andy e o Pai

NAQUELA NOITE

Fico deitada, acordada, com uma estúpida dor de cabeça, relembrando toda a cena, sempre e sempre. Que coisa chocante, isso de um menino dizer que *quer ser mãe*! Tenho certeza que ele não quis dizer exatamente isso, mas mesmo assim... E a observação de Ted, sobre o Andy não ser filho dele. Que é que há por trás disso? Será que ele acha que eu me ocupo demais com o Andy, que estou invadindo o território dele?

Mas não é verdade! Eu me preocupo muito em incentivar o relacionamento deles. Fui eu quem os mandou para o parque aquele dia.

Minhas palavras ricocheteiam em mim mesma. Fui em quem os mandou para o parque. Não foi idéia do Ted, foi? Mas não posso ficar sempre na dependência de que ele tome a iniciativa. Ele volta para casa exausto, no fim do dia, não tem nem tempo para se distrair um pouco. E quando, finalmente, se envolve com o Andy, geralmente é para gritar com ele. É melhor para todo mundo, quando eu entro no circuito... Acho que quero realmente dizer que fico constrangida quando o Ted e o Andy estão juntos.

Minha cabeça começou a latejar. Voltei a mim, devagar e dolorosamente, enquanto estava lá, deitada no escuro e no silêncio daquele quarto. Eu cometera uma grave injustiça para com eles dois. De uma centena de formas diversas, eu transmitira ao Andy sempre a mesma mensagem: que ele precisava ser protegido contra o pai!

É irônico. Confiei-me ao Ted, na mais importante relação de minha vida, e ele nunca me decepcionou. No entanto, eu não confiara realmente nele, em relação ao seu próprio filho!

De repente, não importava mais que o Ted tivesse gênio forte, ou que não tivesse o meu chamado tato. O que o Andy ia aprender com o pai – um pai encantador, forte, enérgico e de sólidos princípios – era aquilo que eu jamais poderia ensinar-lhe.

De seu pai, Andy aprenderia a ser homem.

NA MANHÃ SEGUINTE. DOMINGO

Não digo nada ao Ted sobre minha nova resolução. Ele me conhece tão bem que vai notar a diferença.

Depois do café da manhã, demoramo-nos em silêncio, a tomar mais uma xícara de café, enquanto ouvimos música. Aí, o Andy entra marchando e batendo numa latinha. Ted repreende-o duramente. Andy volta-se para mim com aquela cara de 'Ele vai me dar outra dura'. Normalmente, isso me faria olhar para o Ted com cara de 'Mas o que é que o menino fez de tão terrível?' Dessa vez, porém, eu digo apenas: "Você ouviu o papai, meu bem. Estamos ouvindo música agora. Fica quieto, tá?"

E o Ted e o Andy me olham com uma cara de "Mas que qu'é isso agora?" Olho para eles e sorrio.

NAQUELA TARDE

Ted estoura com o Andy por ele ter pego o martelo sem permissão. Andy vem correndo e se enrosca em mim. "O papai tá bravo", grita ele.

Normalmente, isso suscitaria um momento de terno consolo da Mamãe. Ted fica me olhando desvencilhar-me e dizer: "Acho que o Papai faz absoluta questão que lhe peçam permissão para usar as suas coisas".

NESSA NOITE

O Andy chega apavorado com a lição de casa. Diz que não consegue entender frações. Digo-lhe para consultar o especialista em matemática – o pai.

Eles ficam trabalhando juntos durante dez minutos. Então o Ted fica impaciente e o Andy se safa. "Sou devagar", lamenta-se, "sou sempre o último a aprender".

"Andy", diz o Ted, "não quero que você se preocupe com o tempo. Para uma pessoa, aprender frações pode levar meia hora, enquanto que para outra pode demorar uma semana. Mas, uma vez que tenham aprendido, as duas pessoas sabem a mesma coisa."

Andy reanima-se e continua.

Eu penso: "E era esse o homem que me preocupava!"

UM MÊS DEPOIS

Parei mesmo de interferir com o que acontece entre o Andy e o Ted, e, pode ser pura coincidência, mas não posso deixar de notar que o Ted está assumindo cada vez mais seu papel. Lá uma vez ou outra ele vai arrumar o Andy na cama, de noite, e conversa com ele sobre foguetes e motores. Na semana passada, eles até foram ao parque, e ficaram lá uma hora, recolhendo pedras. Ainda não estão completamente à vontade um com o outro, mas já está bem melhor. Sinto que se está restabelecendo um equilíbrio natural.

DUAS SEMANAS DEPOIS

Não parece justo, O amor *devia* ser o bastante. Mas percebo agora que um pai ou mãe pode ser um lindo ser humano, decente e amoroso, e, ainda assim, ferir seu filho. Eu queria que o Ted dominasse algumas habilidades básicas. Ele se toca por um nadinha, e, desnecessariamente, se lança num confronto direto. Ontem à noite, por exemplo, começou uma guerra total.

Na hora do jantar, o Andy se atirou à tigela do purê de batatas e botou a metade dela no prato.

Ted: Devolva.
Andy: (Agarrando o prato) Não. Da última vez me deram só um pouquinho.
Ted: Devolva, eu falei!
Andy: Você não pode me obrigar.
Ted: (Levantando-se e arrancando o Andy do lugar) Seu jantar acabou.

O Andy chamou o Ted de "bestalhão". O Ted deu-lhe uma bofetada. Andy reagiu, dando-lhe um chute na canela. Ted bateu nele de novo, dessa vez com mais força, e meteu-o no quarto. Jill e David ficaram lá sentados, assistindo à cena toda.

Quando o Ted voltou para a mesa, engolimos com dificuldade o resto do jantar. Por fim, as crianças terminaram a sobremesa e saíram da mesa. Ficamos sozinhos.

Ted: Sei exatamente o que você está pensando. A coisa toda podia ter sido evitada.

Ah, como eu queria que já fosse amanhã de manhã, e que tivéssemos esquecido o que acontecera! Não pude fazer nada, senão recorrer a um argumento, e já houvera bastantes malentendidos entre nós.

Eu: Bom, essas coisas acontecem. Ele pegou purê demais.

Ted: Quem sabe eu devesse ter dito: "Pegue o quanto quiser, filho. Não se preocupe com o resto da família".
Eu: Você sabe que isso não ia adiantar nada. Era preciso corrigi-lo.
Ted: Tá certo! Foi por isso mesmo que o fiz devolver.
Eu: (Calmamente) Você lhe deu uma ordem. Quando se dá uma ordem à criança, isso a faz sentir-se numa situação de desafio.
Ted: Ah, estou percebendo. Já não posso dizer ao meu filho o que ele deve fazer. Muito bem, dona professora, que é que eu devia ter feito, hein?

Eu: (Torcendo-me) Não sei todas as respostas.

Ted: (Incisivo) Não me venha com onda. Perguntei o que eu devia ter feito.

Eu: (Exasperada) Por outro lado, você podia ter descrito o problema. Por exemplo: 'Andy, o purê de batatas tem de ser dividido entre cinco pessoas'. Isso teria dado ao Andy a oportunidade de decidir-se sozinho a devolver o purê... Ou, então, você podia ter exprimido seus sentimentos. Talvez pudesse dizer: "Não me agrada ver uma pessoa pegar metade da tigela de purê. Nesta família, costumamos dividir as coisas"... Ou então, você podia ter-lhe dado uma escolha. Podia ter dito qualquer coisa como: 'Andy, isso é demais. Você pode devolver à tigela ou pode pôr no meu prato, como preferir'. E há ainda uma dúzia de outras maneiras possíveis, com as quais você podia ter evitado um choque de vontades, só que agora não me ocorrem todas elas.

Ted: (Com um profundo sarcasmo) Por isso é que é bom viver com uma especialista. Ela está sempre lá, na marca, sempre pronta a medir o tempo da gente e a dizer o que a gente tinha de fazer para se sair melhor.

Eu: (Gritando) Você está me forçando a uma posição impossível! Não pretendo ser especialista! Mas estou fazendo um curso sim, e aprendi algumas técnicas e não posso ignorá-las ou fazer de conta que não sei delas – Ah, estou tão frustrada! Você me faz sentir como se eu detivesse o privilégio dessa informação. E não é verdade. Ela está ao seu alcance também!

Segue-se um longo e profundo silêncio. De mau humor, junto os pratos numa bandeja e vou para a pia. Ted resmunga qualquer coisa.

Eu: O que que foi?

Ted: Perguntei qual é a noite da semana em que há o encontro de pais.

Eu: (Com um nó na garganta) É na quinta-feira... Nunca pensei que você... Obrigada.

QUINTA-FEIRA

Ted foi à reunião essa noite. Estou com os dedos cruzados, torcendo.

MAIS TARDE

Ele entra, com um ar deliberadamente neutro.

Eu: (Incapaz de me conter) Como é que foi? O que você achou? Se apresentou como meu marido?

Ted: É claro. Eu disse ao Dr. Ginott que estava ansioso por conhecer o homem que está criando meus filhos.

Eu: Não, você não fez isso!

Ted: Fiz sim, e ele riu... Sabe como é, né, você nunca me disse que ele não trabalhava exclusivamente com crianças. Na verdade, ele está ensinando princípios de comunicação que poderiam se aplicar a qualquer tipo de relacionamento – negócios, amigos, parentes, até mesmo às relações entre países. Só há, na verdade, uma exceção.

Eu: Quem?

Ted: (Com brilho nos olhos) Esposas que já são especialistas.

Eu: (Dando-lhe uns tapas) Você e a sua língua ferina!

Ted: Êi! Veja isto: "Rotular é cercear".

Eu: Hum... Não sei se vou gostar de ter outro especialista em casa.

NA MANHÃ SEGUINTE

Ted vem para o almoço e tropeça nos tênis do Andy, que estão jogados no meio da cozinha. Preparo-me para o costumeiro "Andy, será que você tem de ser tão relaxado? Ponha os tênis no seu quarto!"

Mas não. Em vez disso, ouço: "Andy, os seus tênis estão no chão". Andy olha atônito para o Ted. Ted repete: "Seus tênis estão no chão." Andy responde: "Tá bem, vou guardar".

Não sei se devo ficar deliciada ou irritada. De lá para cá, e já se vão dois anos, tenho ouvido o Ted *descrever* o que o aborrece, ao invés de xingar e gritar, e ele tem me ignorado. Uma noite com o Dr. Ginott e até parece que ele não fez de outro modo a vida toda.

UM MÊS DEPOIS

Ah! Eu sabia que não era fácil assim. Vejo o Ted começar, parar e começar de novo. Hoje, por exemplo, ele ouviu o Andy acusar a Jill de haver comido todas as cerejas. Começou a dizer algo como "Pára com isso. Você tá fazendo um cavalo de batalha por causa dumas cerejas piolhentas!" Mas deteve-se no meio do caminho e mudou de marcha.

Ted: Andy, entendo perfeitamente o seu desapontamento. Você foi à geladeira esperando encontrar cerejas e achou um punhado de caroços e cabinhos. Então, como é que vamos ter certeza de que todo mundo, nesta família, ganhe um tanto justo de cerejas, daqui por diante?

De outra feita, Andy rompeu em lágrimas porque se tinha esgotado na loja o estoque do jogo que ele queria e não iam chegar mais até quarta-feira. Ted disse: "Ora essa, Andy, não faça que nem um bebê! A gente não pode ter tudo o que quer na hora que quer. Você tem de aprender a ter paciência". Andy chorou mais alto. Ted olhou para mim. Eu olhei para fora.

Ted: (Após pensar um momento) Vai ser duro para você esperar até quarta-feira. Aposto que você queria sair com ele debaixo do braço agora.

Andy parou de chorar.

DUAS SEMANAS DEPOIS

Não sei o que acontece no grupo dos pais. Ted não discute isso comigo. Mas deve haver alguma conversa sobre auto-imagem, porque recentemente ele andou dizendo coisas sobre fazer o Andy sentir-se bem a respeito de si mesmo. E nas ocasiões mais improváveis! Ontem à noite, por exemplo, o Andy estava berrando por causa de um disco quebrado, de um jeito nada louvável. No entanto, ouvi Ted dizer: Andy, percebo que você está chateado por causa do seu disco, mas esta gritaria que você estava fazendo até há pouco devia ser reservada para emergências, como um incêndio por exemplo. Puxa, que pulmões você tem, garoto!"

E hoje de manhã o Ted até achou algo de positivo para dizer quando o Andy derrubou o copo de suco. Enquanto ele limpava o chão, o Ted comentou: "Gosto do jeito que você limpa essa sujeira. Sem choradeira, sem xingamentos. Ali, quietinho, você fez o que tinha de fazer". O Andy ficou com cara de quem tivesse ganho uma medalha.

Sinto-me tentada a dizer ao Ted que cada uma das suas recentes mudanças em relação ao filho poderia ser usada como modelo dos princípios do Dr. Ginott. Mas eu não ousaria. Não acho que ele visse com bons olhos esse tipo de comentário. Assim, mantenho a boca fechada e desfruto a nova atmosfera da casa.

TRÊS SEMANAS DEPOIS

Esta noite, a coisa está feia. Ted está muito cansado. Não está com paciência para ouvir as lamúrias do Andy, a propósito de ainda não entender as frações. Ted recrimina-o com uma série de observações amargamente sarcásticas. Depois, olha-me desafiadoramente, esperando que eu faça aquela cara de 'Você é um besta'.

Mas não faço.

Mais tarde, ele me diz, quase apologeticamente: "Poxa, aquela voz dele me dá nos nervos. Acho que fui bruto com ele hoje."

Eu: (Casualmente) Foi? Então agora ele sabe que, às vezes, o pai dele é bruto. Afinal, ele não é nenhuma florzinha.

Pai e Filhos

TRÊS SEMANAS DEPOIS

Ocorreu-me um pensamento horrível. Começo a suspeitar que um pouco da implicância recíproca entre o Andy e o David talvez se deva a mim. Deve ser isso, porque agora estou notando que o Ted está acabando com as brigas, os meninos fazem as pazes rapidamente e até brincam juntos depois. Fico imaginando por que é que o Ted conseguiu colocar em prática as teorias do Dr. Ginott sobre a rivalidade entre irmãos, e eu não consegui. Nós dois aprendemos as mesmas técnicas. Por que é que eu não consigo valer-me delas quando preciso? Acho que a rivalidade entre irmãos não é o meu forte. Fico tão chateada ao ver meus filhos se digladiando!

Ah, se alguém quiser falar sobre teoria, sou praticamente uma especialista. Sei que uma certa implicância é normal e inevitável. Sei, também, hipoteticamente, exatamente o que fazer a respeito.

Eu deveria proteger a integridade do menor, sem fazer com que o maior se sinta um crápula.

Eu deveria incentivar as crianças a encontrar suas próprias soluções.

Eu deveria minimizar a raiva, deixando que cada criança exprimisse sua hostilidade para com a outra separadamente – em desenhos, em conversas, ou escrevendo.

Eu não devia fazer comparações odiosas.

E, principalmente, eu não deveria jamais, em circunstância alguma, tomar qualquer partido.

No entanto, quando o David começa a cutucar o Andy, e este tenta defender-se, e o David se torna mais duro e mais bruto, eu de repente me sinto outra vez com cinco anos, minha irmã me dando murros no estômago, e daí então EU TOMO PARTIDO!

Mas Ted não. Ele aprendeu a ficar de ambos os lados. Ele tem um jeito de ficar neutro, e ao mesmo tempo exigir responsabilidade pessoal de cada uma das crianças. Isso não funciona o tempo inteiro. Algumas das brigas vão além de qualquer coisa que ele possa fazer ou suportar. Mas, quando consegue empregar suas novas técnicas, a coisa fica totalmente diferente do que acontece comigo.

Quando, por exemplo, os meninos entraram na sala correndo feito dois malucos, cada qual tentando contar aos berros sua versão da história, eu particularmente teria berrado: "Não me interessa o que aconteceu ou quem começou. Quero só saber como acabou!"

Ted, usando as exatas palavras do Dr. Ginott, disse: "Êi, vocês dois aí, meninos, vocês estão mesmo furiosos um com o outro, hein? Quero saber exatamente o que aconteceu – por escrito. Contem-me como começou, como é que a coisa de desenrolou, o que vocês disseram, e no final não deixem de incluir suas recomendações para o futuro".

O David não fez nada disso, mas o Andy escreveu duas páginas, que o Ted leu em voz alta, discutindo seriamente cada recomendação. Andy sentiu-se realmente gratificado.

Noutra ocasião, o Andy veio chorando, gritando que o David lhe tinha dado uns cascudos com força. David protestou, fora apenas um tapinha de brincadeira. Eu teria explodido com o Davi: "Quantas vezes já lhe disse para nunca encostar um dedo no seu irmão? Isso só cria confusão!"

Mas o Ted disse: "Andy, para você pareceu um belo de um cascudo. David, para você pareceu um tapinha de brincadeira. Ora, quando alguém sente alguma coisa, é porque a coisa, para ele, foi daquele jeito". Os dois meninos pararam e se olharam. Tinham algo em que pensar.

Mas, quando o Andy realmente precisa de proteção, o pai a dá – e também de forma diferente da minha. Fico pensando naquela vez em que o David estava sentado nas costas do Andy, esmurrando-o. Minha primeira reação teria sido: "Largue dele já, seu brutamontes!"

Ted empurrou imediatamente o David e gritou: "Quando vejo você machucando seu irmão, tenho vontade de machucar você! É melhor você sumir, rápido!" David desapareceu.

Mais uma diferença entre nós: eu espero que por David ser mais velho e mais amadurecido, ele seja capaz de mostrar maior compreensão e autocontrole em relação a uma criança mais nova.

O Ted não. Ele nunca faz o David ter a sensação de que precisa ser legal com o irmão menor, não importa o que aconteça. Ouvi-o dizer ao Andy (que estava sendo deliberadamente irritante): "Filho, você está brincando com fogo! O David está tentando se conter, mas não se aproveite do bom gênio dele. Todos têm seus limites".

Mas, acho que o que mais admiro no Ted é sua capacidade de ajudar os meninos quando eles estão num impasse. Ele aprendeu a suplantar as ameaças e xingamentos e ainda assim dá pleno valor ao ponto de vista de cada menino, repetindo-o em voz alta. Nem sempre sai bem, mas, domingo à noite, quando eles não queriam ir dormir, porque um queria a luz acesa e o outro a queria apagada, Ted foi mais efetivo.

(Eu teria apresentado uma solução imediata: o David que lesse na sala de visita, até que o Andy adormecesse. E, se não gostasse da idéia, eu teria pensado noutra coisa.)

Ted os investiu da responsabilidade para resolverem o problema.

Ted: Estou ouvindo uma discussão.

Andy: Não vou mais dormir neste quarto. Ele fica com a luz acesa a noite inteira. Vou dormir na sala. Ele sempre faz do jeito dele – só porque é mais velho.

David: Isso não é verdade, ô nenezinho. É você que...

Ted: Um minuto aí. Sem xingamento. Vamos aos fatos. Andy, se estou compreendendo bem, você gosta de dormir de luz apagada?

Andy: Claro! Como é que posso dormir, se esse "retardado" tá com a luz acesa?!

Ted: Andy, já falei, sem xingamento! David, seu irmão está dizendo que não consegue dormir com a luz acesa.

David: E eu, hein? Vou ter de ler cinco livros para tirar um A em inglês!

Ted: Compreendo. Andy, o David está preocupado porque está sob a pressão de ter de ler vários livros a mais este ano.

Andy: Azar dele.

Ted: É azar dele, sim, e foi azar seu também. Quando as coisas estão duras, a gente tenta facilitar um pouco um para o outro.

David: Ah, sei! Não vou ficar em inglês só por causa dele.

Ted: É um verdadeiro dilema – dois meninos com diferentes necessidades compartilhando o mesmo quarto... Olhem, vou ficar na sala, lendo. Tirem aí uma meia hora, discutam o problema e vejam se conseguem chegar a uma solução que sirva aos dois.

Dez minutos depois, em meio a grande excitação, eles chamam o Ted. Chegaram a um acordo! O David vai apagar a luz de cima e usa apenas a luz de cabeceira dele. E o Andy disse que vai inventar uma cúpula que possa ser presa à cabeceira.

Se continuar assim, eles podem até chegar a ser amigos algum dia.

NO SÁBADO

Ted está de bom humor: divertido, apesar de uma longa lista de compras. Enfia a cabeça no quarto de Andy e convida-o para dar um passeio. Fico contente. Ele nunca fez isso antes. Era sempre o David que levava consigo. Andy reluta. Embora as coisas estejam indo muito melhor entre os dois, ele ainda tem um pé atrás com o Ted. Diz que tem de trabalhar em sua coleção de pedras.

Ted parece sentido, dá-me um beijo de despedida e já está a caminho da porta quando, de repente, o Andy aparece com os sapatos na mão.

"Mudei de idéia. Quero ir."

"Ótimo", diz o Ted.

Há quatro horas que eles saíram. Quando, finalmente, voltam para casa, já está escuro. Andy, quase eufórico, narra-me cada detalhe do dia – as ferramentas, na loja de ferragens, a serra grande, na serraria, e que o homem da loja de tintas deu a ele uma broxa grátis, e do *ice cream* soda de hortelã com xarope de chocolate.

Ted me puxa para o lado. Ele também quer contar. "Foi um dia formidável", diz ele. "Sabe, acho que o menino gosta mesmo de mim."

Eu: "Que o faz pensar assim?"

Ted: (Com um sorriso sem jeito) No caminho para casa ele pôs a cabeça no meu ombro e disse: "Hoje nós passamos o dia feito pai e filho. Vamos fazer de novo, logo, Pai".

UMA SEMANA DEPOIS

Espero não estar me enganando, mas parece-me que o Andy tem mudado nestes últimos seis meses. Não de forma radical. Ele ainda choraminga bastante, mas há também ocasiões em que ele só "conversa". Agora ele tem um amigo, só um – o Craig – mas é seu primeiro amigo de verdade. Ele e o irmão ainda brigam, mas não com tanto ressentimento quanto antes. E, o que é mais importante, ele já não fica atentando o pai. Cada vez mais, é ao Ted que ele recorre em primeiro lugar, quando tem um problema.

Sei que Andy tem um longo caminho pela frente, mas acho que ele já andou um pouco. Já não está mais trancado em seu antigo papel de bebê chorão e desvalido. Agora está mais livre para descobrir seus outros eus.

NA NOITE DO BAILE DA ASSOCIAÇÃO DE EX-ALUNOS DO TED

Mas quem é essa mulher sedutora, elegantemente vestida a rigor, aí no espelho? Sem dúvida alguma, não é a mãe de ninguém!

O Andy avança pava mim: "Você está linda. Vou casar com você".

"Fique longe de mim", berro. "Você pegou salmão com as mãos." Não há em mim um só grama de instinto maternal. Estou inteiramente ocupada em prender meu coque grego. Hoje a noite é dos grandes.

Foi uma bela festa. Uma comida maravilhosa, música gostosa, gente encantadora – tão civilizados. Ninguém teve chilique, e todo mundo cortou a carne sozinho.

Estávamos todos exultantes, ao fim da noite. Um velho amigo de Ted convidou alguns casais para o seu apartamento. Tomando café, a conversa ia agradável – férias, o que virou o que, a cidade e os bairros, e filhos.

Filhos! Quem ia querer falar de filhos, vestido a rigor? Tentei não ouvir – para manter o espírito de festa. Mas os comentários mexeram comigo.

"É, não há dúvida, as crianças vêm ao mundo com personalidades diferentes. Veja o meu caçula: é meigo, bonzinho, é capaz de dar a camisa do corpo por alguém. Mas o mais velho é justamente o contrário, não faz nada de graça. Já nasceu pão-duro."

"Entendo perfeitamente. Tive um em Princeton, e outro que pode se dar por muito feliz se conseguir terminar o colegial. Ele nunca vai ser universitário – isso é mais do que certo. E já disse isso a ele. Eu disse: 'Você não é burro não, é só vagabundo'. "

"Vocês deviam conhecer minhas filhas. Não ia dar para perceber que são irmãs. A pequena é graciosa, anda que nem uma bailarina; a grande não consegue entrar numa sala sem derrubar qualquer coisa, sem dar de cara com alguma coisa. Eu a chamo de "Trator". "

Alguém riu.

"E os meninos, Ted? Vocês tiveram três, não foi? Como é que eles são?"

Fiquei tensa. Ted deu de ombros. "São... são o que são. Pessoas diferentes em momentos diferentes."

"Sem filosofia, cara. Isso não é resposta. Vamos lá, Jan, conta para a gente."

Passou-me pela cabeça que, tempos atrás, eu poderia ter-me juntado a eles confortavelmente, naquele jogo de classificações. Agora, porém, havia entre nós um abismo de experiência. Eles não tinham ouvido nada sobre Kenneth ou Susie. Nada sabiam sobre o Andy. Será que eu devia contar-lhes? Não, era demasiado pessoal. Além disso, não era bem uma conversa para festas.

Todo mundo me olhou, com expectativa. Sorri meio amarelo e disse que estavam todos convidados a ir lá em casa para conhecer as crianças e ver por si mesmos.

Alguém notou que já era tarde. Houve um súbito recolher de casacos, numa zoeira de até logo e promessas recíprocas de tornarem a se encontrar com mais freqüência. Lá embaixo, sentei-me no saguão e esperei pelo Ted para apanharmos o carro. A última parte da conversa deixou um ressaibo desagradável. Aborrecia-me não ter sido honesta. Não teria sido preciso que eu desnudasse a alma, contando um caso pessoal, mas poderia ter dito algo. O quê?

Se eu tivesse realmente liberdade para expressar-me, poderia ter-lhes dito: Caros amigos, vocês estão fazendo piadas sobre algo que não é para rir. Os filhos se vêem, basicamente, através dos olhos dos pais. Eles olham para nós para que lhes digamos não necessariamente o que são, mas no que é que são capazes de se transformar. Dependem de nós para uma visão maior de si mesmos, e para as ferramentas capazes de aumentar essa visão.

Eu poderia ter-lhes dito:

Não existe esse negócio de criança "egoísta". Existe, apenas, uma criança que precisa experimentar as alegrias da generosidade.

Não existe esse negócio de criança "vagabunda". Existe, isto sim, uma criança desmotivada, necessitada de que alguém acredite que ela possa trabalhar duro quando se preocupa o bastante.

Não existe isso de criança *sem jeito*. Existe apenas uma criança cujos movimentos é preciso aceitar e cujo corpo é preciso exercitar.

Os filhos – todos eles – precisam que lhes afirmemos aquilo que têm de melhor e que ignoremos ou redirecionemos o que têm de pior.

E quem assumirá essa missão desafiadora?

Os pais.

Quem, senão um pai ou uma mãe, se disporia a operar mudanças em si mesmo de forma a que, no devido tempo, seu filho pudesse mudar?

Quem, senão um pai ou mãe, tem a grandeza de espírito necessária para dizer à criança que fez algo errado: "Isso era antes. Agora é assim. Vamos começar de novo".

Quem, senão um pai ou mãe, se preocupa o bastante para dizer ao moleque sujo: "Vem cá, eu acredito em você. Eu vejo por baixo dos seus andrajos. Vou vestir você com roupas radiantes de príncipe, e você vai mesmo virar um".

NO DIA SEGUINTE

Acabo de reler o que escrevi ontem à noite. Foi bom ter segurado a língua. Eu não podia ter dito uma coisa daquelas àquela gente. Seria muito no estilo sermão.

Mas, é estranho, de alguma forma, ao "dizer-lhes", eu disse a mim mesma.

Acho que agora sei.

Este será o último registro do meu diário.

Capítulo VIII

Não Faça a Cabeça: Faça o Estado de Espírito

Quando o David era bebezinho, eu sentava no *playground*, balançava o carrinho dele e ficava ouvindo as mulheres ao redor se lamuriarem umas com as outras: como era duro "fazer a cabeça" dos filhos!

Ah, o Brian não escovava os dentes, mesmo que a mãe o advertisse de que ia ficar com cáries. A Julie não catava os brinquedos, apesar das preleções diárias sobre ordem. E o Lewis tinha de ser lembrado de dar a descarga a cada vez que usava o banheiro.

E eu pensava comigo mesma: "Poxa, que bando de gente chata! Coitados dos filhos delas!"

Agora, três filhos depois, sou menos crítica. Descobri que os constantes empenhos para levar um filho a fazer aquilo que acho vital e que ele acha supérfluo pode tornar a gente chata e maçante. Acho que não sou a única. Acho que a maioria dos pais se chateia com a desordem, resmunga por causa dos dentes sujos e se enoja com vasos sanitários sujos. No entanto, sempre que uma mãe, no nosso grupo, conta que conseguiu a cooperação do filho de forma agradável, sem precisar fazer preleções nem dar lições de moral, sem precisar advertir para conseqüências funestas, fico sempre impressionada.

Estou pensando especificamente na Katherine. Ela tem um jeito de estabelecer aquele estado de espírito que reduz a resistência. Mesmo quando tem de chamar a atenção ou dar uma "cutucada", ela o faz com delicadeza: "Chris, não ouvi a descarga". Ou: "Patty, escovar os dentes antes de deitar!" Ou: "Crianças, preciso de ajuda aqui com esses pratos". (Todas, simples afirmações descritivas.)

Geralmente, consulta-os sobre sua preferência quanto à maneira e a ocasião em que as tarefas devem ser feitas: "Você prefere tirar os pratos antes ou depois da sobremesa?", "Prefere usar pano de prato ou um paninho de limpeza?". O jeito dela, porém, transmite a certeza de que, quando pede ajuda, espera recebê-la.

Gosto também da abordagem dela quando uma tarefa realizada não fica a seu gosto. Ela jamais ataca a criança em seus esforços ("Será que você não consegue fazer nada direito?"), mas, ao invés disso, apresenta uma apreciação do resultado conseguido, antes de indicar o que mais precisa ser feito. Assim, ela diria: "Bom, Chris, você deve ter rebolado um bocado para limpar esta frigideira deste jeito. Só que ficaram uns chatos de uns restinhos de ovo seco aqui do lado".

Katherine afirma que, mesmo evitando o mandonismo e as repreensões habituais, só uma coisa realmente a salva de tornar-se a clássica chata, e essa coisa é a rotina. Uma rotina flexível. Ela mantém, na cozinha, um "mapa de operações" no qual as próprias crianças anotam as suas atribuições e as permutam entre si constantemente. Ao invés de perder um tempão com longas argumentações sobre quem vai levar o cachorro a passear ou a quem caberá cuidar da roupa, a Katherine simplesmente diz: "Vá ver o que está no mapa, para hoje". Em conseqüência, a maior parte das discussões são travadas com o mapa, não com a mãe.

Há pouco tempo, as crianças inventaram algo novo – uma roleta para as tarefas da cozinha. A cada semana, a roleta entra em funcionamento para designar a cada um uma nova série de deveres.

É óbvio que esse estilo agradável e meio louco da Katherine cria aquele tipo de espírito familiar que faz com que todo mundo se sinta bem, trabalhando em conjunto.

Há ainda outra abordagem que convida à cooperação... embora eu hesite em mencioná-la aqui. Pois, quem acreditará que, numa

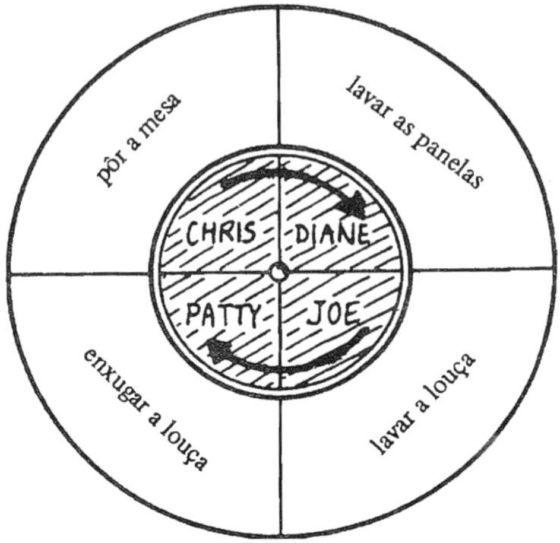

situação que normalmente incita a uma guerra, alguns pais consigam realmente ser divertidos? Brincadeira em lugar de polêmica? Humor em vez de atrito? Isso me parece acima e além de minhas forças.

A Helen pensa diferente. Segundo diz, para ela, brincar é praticamente uma necessidade – uma maneira de descarregar a tensão e neutralizar seu mandonismo natural. Quando ela pode brincar a respeito de algo que tem de ser feito, há aí um duplo benefício. Ela fica mais relaxada, e as crianças menos refratárias. O que mais os diverte é quando ela brinca de ser outra pessoa.

Por exemplo: uma tarde, a Laurie e o Billy queriam sair para ir à loja, debaixo de um pé d'água, de sandálias e camiseta. Helen anteviu toda a maçada da argumentação convencional:

"Crianças, está chovendo."

"Não, tá só chuviscando."

"Gostaria que vocês fossem de capa de chuva."

"Mas vamos sair só um instante."

"Vão ficar ensopados."

"A gente vai correndo."

Num momento de rara inspiração, ela fez uma voz de Pato Donald: "O quê? Sem capa nem galocha?", fez ela com a típica voz anasalada, "fico muito espantado! Sempre pensei que todos os patos sabidos usassem capa e galocha quando está chovendo."

As crianças entraram no jogo e foram correndo para o armário, falando "a língua do pato".

Noutra ocasião, Billy e Laurie iam saindo de casa sem ter arrumado os respectivos quartos. Helen cercou-os na porta. E, com uma voz de gangster, falou desafiadora: "Parado aí, rapazes! Estive lá nos quartos e aquilo tá uma bagunça dos diabos! Ninguém sai desta espelunca antes de arrumar os quartos! E é melhor fazer serviço limpo, ahn, senão o Chefão não vai gostar não! Tamos entendido?".

Mais um exemplo de palhaçada. A Helen estava assistindo televisão com o Billy – um programa sobre a vida rural. A certa altura, ela teve a nítida impressão de que o cheiro de estábulo estava saindo do vídeo. Perto dela, no sofá, o Billy mudou de posição, enquanto a Helen farejava o ar.

Terminado o programa, a Helen fez uma voz fanhosa, de caipira, e falou com o sotaque característico: "Ô, William, tá cheran'o que nem se ocê tivesse andan'o caçan'o gambá, sô! Agora, vê se ocê se mete na bacia véia e vai tomá um banho de sabão e bucha, sô! Quero que ocê fique cheran'o direitinho pra quando o pai chegá em casa, fio... E num mi vem co'a conversa de que ocê já tomô seu banho este ano, não. Ocê já tá grandinho pra cumeçá a tomá dois banho por ano, né?"

Lee disse que gostaria de ser mais jovial com todos os filhos dela, mas que isso não é fácil. O Jason leva a vida muito a sério. A qualquer tentativa de humor, ele geralmente se sai com um "Há, há, há! Muito gozado!". Já a Susie, por seu lado, fica simplesmente olhando para a cara dela, atônita – o que dificilmente seria uma inspiração para continuar com a brincadeira. É o Michael quem lhe estimula o senso de humor.

Mesmo quando está meio dormindo, ele está sempre disposto a brincar. Lee nos contou que uma manhã ela foi acordá-lo e encontrou uma forma amorfa, na cama totalmente coberta. "Ei", ela disse, "estou vendo um submarino aí. Será que ele não quer emergir? Subir periscópio! Ou será que o submarino quer ficar submerso por mais uns cinco minutos?". O Michael pôs um dedo para fora das cobertas e balançou-o.

De outra feita, ela o encontrou sentado na cama, obviamente chateado com a faxina que tinha pela frente. "Não admira", pensou a Lee, olhando para as camadas de entulho no chão, "ele não tem lugar para pôr coisa alguma".

Ela desceu e voltou minutos depois com uma braçada de caixas de sapatos vazias e um disco.

"Michael", disse ela, "só porque é duro botar o quarto em ordem, isso não é motivo para a gente ficar assim tão por baixo. Hoje vamos levar a melhor sobre a chatice da limpeza, tá?"

E pôs uma marcha no toca-discos. "Vamos trabalhar com música, para levantar o moral!" ela gritou por cima do som da Banda dos Fuzileiros Navais. "E olhe que montão de caixas, que é pra você poder guardar todos os seus tesouros!"

Michael deu uma risadinha amarela e pulou da cama. Aí, ao compasso da música, começou a jogar as bolinhas de gude numa caixa e as peças de xadrez na outra.

A Roslyn diz que é capaz de levar na brincadeira uma situação problemática, mas só depois, nunca no ato. Não até que as crianças saiam da vista dela, que estejam realmente dormindo, e a casa toda quieta: aí lhe volta o senso de humor. De certa forma, assim que ela põe a caneta no papel, começa a se sentir melhor. Seus primeiros desenhos são quase sempre ferinos, sarcásticos, e altamente satisfatórios. Então, pouco a pouco, ela os trabalha, refaz as legendas, até que consegue dar o recado sem fazer acusações. Eis aqui algumas situações de impasse, que ela aproveitou em suas notas.

Quando as crianças se mostravam absolutamente refratárias a escovar os dentes, ela desenhou um cartaz e o colou no espelho do banheiro.

QUAIS SÃO SEUS DENTES?

Ignorados | **Escovados Fielmente**

Em certa ocasião, por ter-se tornado uma verdadeira guerra de todas as noites a hora de dormir, a Roslyn compôs uma musiquinha, datilografou a letra e colocou uma cópia no travesseiro de cada criança. Era assim:

Reflexões Sobre a Hora de Dormir

Ir pra cama cedo,
Sorrindo e bem contente,
É deixar mamãe feliz
E ao papai dar um presente!
Mas quem não faz assim,
Quem vai pra cama tarde,
Com resmungo e choradeira,
Tem um despertar ruim,
Com os pais de cara feia.

E seguia-se um convite, no mesmo tom:

Convidamos você a dar duas sugestões para que a hora de dormir se transforme num ato agradável, que restitua a paz e a harmonia a esta família. Por favor, preencha os espaços em branco:

Acho que deveria ir para a cama entre as _____ e as _____ .

Acho que as luzes deveriam ser apagadas entre as _____ e as

Com amor,
Mamãe.

Certa ocasião em que Roslyn andou pedindo auxílio na cozinha, sem recebê-lo, ela redigiu uma nota e a afixou na porta da copa.

Dizia assim:

CRISE NA COZINHA

"Na última vez em que foi vista, a cozinheira dos Davis estava muito aborrecida, ameaçando pedir demissão.

Informa-se de fonte fidedigna que ela estava amassando com raiva o purê de batatas, enquanto resmungava: "É demais para uma pessoa sozinha! Não posso tocar um restaurante sozinha!"

Em face desta terrível emergência, instamos os senhores clientes habituais a se apresentar imediatamente como voluntários para os seguintes serviços:

Tirar a mesa
Enxaguar louça e talheres
Colocar os objetos na máquina de lavar
Arear panelas
Varrer o chão

Favor assinalar com sua inicial duas tarefas escolhidas.

P. S. Não se exige experiência anterior.
Dá-se treinamento grátis.

Então, tudo indica que existem alguns pais que conseguem evitar o costumeiro choque e estabelecer, através do humor, um espírito de cooperação amistosa. Que tremenda vitória!

Mas há mais coisas a serem ditas sobre o valor de um bom estado de ânimo. Seus benefícios se estendem além do simples aspecto prático da cooperação que se consegue. Quando prevalece um "bom astral", as coisas boas freqüentemente acontecem. Jovens e velhos tendem igualmente a tornar-se mais expansivos, mais receptivos, até mais criativos. O improvável, de repente, se torna possível. Liberam-se impulsos afetuosos que infestam alegremente toda a vida doméstica.

Um estado negativo de espírito pode ser igualmente contagioso! E foi só quando tive a minha própria família que pude avaliar plenamente como é fácil captar os sentimentos negativos dos filhos. De meu natural, tenho tendência a ficar irritada quando uma criança está irritada, a me abater quando a criança está abatida, e, por fim, a juntar-me a ela para tornar as coisas piores. Assim sendo, pois, sempre que alguém no nosso grupo conta que conseguiu realmente separar-se do estado de espírito do filho e fazer a espiral reverter positivamente, fico confusa.

Ouvir esses relatos evoca-me outra vez o mesmo sentimento de espanto que eu tinha, em criança, quando via nos desenhos animados um coelho se despencar dum rochedo. Quem havia de dizer que, no último momento, as orelhas dele se transformariam em asas, a cauda em hélice, e ele ia sair voando para cima, desafiando a gravidade?

Eis aqui duas das minhas histórias prediletas, do tipo em que a gente pensa Ele Nunca Vai Sair Desta. Numa delas, a mãe consegue superar todos os obstáculos e mudar o "astral".

Chamei a primeira história de

APAGAR

(Neste caso, a Helen salva o seu dia empregando a fórmula do Dr. Ginott para uma situação de impasse: "Apague e comece de novo".)

Cena: De manhã cedinho, no quarto da Laurie.

Laurie: Mamãe, que é que eu ponho hoje?

Helen: Que tal uma daquelas saias lindas que a gente comprou outro dia para a escola? Elas estão lá no armário desde que vieram da loja.

Laurie: Não gosto delas.

Helen: Meu bem, foi você quem as escolheu! Então, você pode vestir este saiote xadrez. Vai ficar parecendo uma escocesa!

Laurie: Não quero parecer escocesa. Quero usar calças compridas.

Helen: Mas você sempre usa calças. Já é hora de mudar um pouco. Se não quer o saiote, que tal então a saia azul com botões de metal, hein?

Laurie: Aquela pinica.

Helen: Ora, você podia usar uma combinação por baixo.

Laurie: (À beira das lágrimas) Detesto combinações!

Helen: (Consigo mesma) Vou começar tudo de novo. Vou impor o meu gosto. Não deixá-la tomar sozinha uma simples decisão... Como é que vou sair desta? *(Em voz alta)* Laurie, vamos "apagar".

Laurie: Han?

Helen: Eu disse vamos apagar, começar tudo de novo. Vamos fazer de conta que estou acabando de subir para acordar você.

Helen: (Sai, fecha a porta atrás de si, espera um momento e bate.)

Laurie: (fazendo o jogo com relutância) Entre.

Helen: Bom dia. Será que ouvi alguém me perguntar que roupa devia usar hoje?

Laurie: Han-han.

Helen: Bom, antes de a pessoa saber o que quer usar, ela deve perguntar a si mesma, para saber como se sente. E a resposta vai ser algo assim: "Hoje estou me sentindo como a calça marrom velha, ou como a saia nova. Estou me sentindo como o suéter amarelo espantado, ou como a blusa de florzinhas".

Laurie: (Aproveitando para pensar) Eu me sinto como... o meu suéter azul e as calças marrons.

Helen: Eis uma menina de oito anos que realmente sabe o que tem na cuca!

Laurie: (Numa confidência tímida) Azul é minha cor predileta.

MICHAEL E O CANGURU

(Nesta história, Lee muda o "astral" com um toque de fantasia.)

Certa manhã, Lee pegou o Michael rosnando ferozmente com Muffin, o cachorro novo. Pediu-lhe que parasse, mas ele insistiu em que o Muffin sabia que ele só estava brincando, e daí começou a dar cabeçadas no cão.

A Lee pensou: "Como é que eu vou atingi-lo? Proibindo-o de chegar perto do cachorro durante uma semana? Ameaçando-o de contar tudo ao pai? Fazendo-lhe um sermão duro?". Ela já estava formulando uma preleção sobre a crueldade para com os animais, quando, subitamente, ocorreu-lhe o que o Dr. Ginott dizia: "Não faça a cabeça, faça o estado de espírito". Ela então ficou imaginando como poderia fazer isso, na prática.

Lee: Michael, estou percebendo que você gosta muito de jogo bruto... Sabe o que a gente devia ter feito? Devíamos ter escrito para a Austrália, pedindo um canguru pelo reembolso postal – um canguru completo, com luvas de boxe e tudo.

Michael parou de rosnar e ergueu os olhos. O cachorrinho fugiu para um canto.

Lee: (Enfática) É, devíamos ter construído uma casinha para ele, com um buraco especial para o rabo dele.

Michael: (Rindo amarelo) Ele podia dormir no meu quarto.
Lee: Bem perto da sua cama! Aí você teria sempre um *sparring* pronto para aparar os seus murros, sempre que quisesse treinar.

Lee ajoelhou-se no chão e falou docemente com o cãozinho.

Lee: Você não é nenhum canguru, né, Muffin? Você é apenas um cachorrinho e não gosta de jogo bruto, não é mesmo?

Michael agachou-se ao lado dela e acarinhou o pêlo de Muffin.

Lee: (Continuando a falar com o cão) Você gosta de ser afagado, mimado, e gosta que brinquem com você com bons modos, não é mesmo, seu vira-lata?
Michael: (Esfregando o nariz contra o focinho do cachorro) Com muito, muito carinho!

Não sei o que é que me toca tão profundamente nestas histórias. Acho que é a noção que elas contêm, de que os pais são capazes de transcender o momento de raiva, temperando-o com humor e imaginação. Que jeito bonito de viver! Sou, porém, suficientemente realista para saber que o humor é coisa do momento – não é suscetível da vontade ou da habilidade, e é algo que vem ou não vem na hora, não algo que se possa exigir ou invocar.

Até aqui eu acreditava que só os adultos tivessem a capacidade de engendrar um bom ânimo. Mas seria negligência da minha parte encerrar este capítulo sem uma menção aos verdadeiros prodígios da jovialidade, aos acrobatas consumados da rápida mudança de estado de espírito – as próprias crianças. São elas que conseguem saltar do desânimo total à diversão rasgada, com uma agilidade que os adultos perderam há muito. E, muitas vezes, elas vêm com aquela espécie de contribuição que nenhum adulto poderia sequer sonhar. Afortunadamente, faltam-lhes as nossas inibições.

Apresento um pequeno exemplo de minha própria família.

Uma noite, vínhamos voltando para casa, de carro, de um jogo do Dente de Leite. Rodávamos em absoluto silêncio. É que o David havia batido fora quatro bolas. E a tristeza dele tomava todo o carro. Ah, o que eu não teria dado para mudar o estado de espírito geral! Pensei muito, mas não achei nada. Por fim, o David falou.

David: Eu não presto para o Dente de Leite. Nem para Várzea. Eu presto mesmo é para o time dos guris.

Pai. Poxa, David, admiro muito isso em você. Você está tão por baixo, mas nem assim perdeu seu senso de humor... Fico só imaginando como é que eles iam manter o placar no time dos guris.

David: (Com voz arrastada) Acho que aquele que conseguisse fazer o número um ficava em primeiro.

Jill: (Interessando-se) Então, para ficar em segundo, a gente tinha de fazer o número dois.

Do banco de trás da camioneta, o Andy pulava, excitado. E de repente saiu-se com esta:

Andy: E eu sei como é que devia ser a volta deles para casa!
Voltamo-nos todos para ele.
Andy: (Triunfante) Diarréia!

Cinco pessoas caíram na gargalhada.
Percebem o que eu quero dizer?

PAIS SÃO GENTE

Capítulo IX
Sentimos o que Sentimos

Estive folheando meu caderno de notas. A cada vez que lia uma das afirmações do Dr. Ginott sobre os sentimentos dos pais, eu me eriçava.

"Pais e mães devem respeitar seus próprios limites."

"Podemos ser um pouco mais bonzinhos do que estamos sentindo, mas não muito."

"É importante aceitar a realidade de nossos sentimentos do momento."

"É melhor sermos autênticos com nossos filhos."

Por que é que eu reagia tão fortemente a estas afirmações? Pareciam-me perfeitamente razoáveis – perfeitamente lógicas. Estudei-as novamente. Aí, ocorreu-me o porquê. Subjacente a cada uma dessas afirmações, estava a premissa de que a pessoa normalmente conhece, sabe o que sente. E quanto mais me demorava nisso, mais à vontade me sentia. *Talvez nem sempre eu soubesse o que sentia*!

Este pensamento me transtornou. Tentei tranqüilizar-me. "Isso não faz sentido! Você sabe exatamente o que sente a respeito de toda uma gama de assuntos controversos – liberação feminina, legalização da maconha, legislação social, tensões no Oriente Médio, dormitórios de colégio interno. Você não é nada boba. Você é uma mulher com clareza de visão!"

Mas eu não me convencia. Lá no fundo, bem no fundo, eu sabia onde é que estava o "grilo". Era com os filhos. É só um deles cair em cima de mim e pronto: toda a lucidez desaparecia. Aquele mecanismo interno – aquele em que eu confiava para que me enviasse sinais claros sobre meus sentimentos – parecia ter ido para o espaço a cada vez que entravam em cena.

Era quase gozado, e a piada parecia ser eu. A mãe que se dedicara com tamanho denodo a ajudar seus filhos a tomar pé dos próprios sentimentos, provavelmente não tinha pé dos seus próprios sentimentos.

Vejam, por exemplo, o que aconteceu domingo passado. Eu estava de papelotes quando as crianças entraram gritando: "Mamãe, o papai tinha prometido levar a gente tomar sorvete, mas agora ele está dizendo que vai ter de passar a tarde inteira aprontando os pagamentos!". Pensei: "Ah, eles estavam esperando por isso. Vou levá-los." Arranquei os papelotes, saí do sofá quentinho. E o resto foi mais ou menos assim:

"Muito bem, todo mundo para o carro."

"Crianças, façam menos barulho, sim?!"

"Bom, resolvam de uma vez. Que sorvete você quer?"

"Olha aí! Tá derretendo todo no banco do carro!"

"Então, não tinha o sabor que vocês queriam. Mas será que vocês têm de ser tão criancinhas?"

"Não haverá uma segunda vez! Na verdade, não haverá mais nada, por um bom tempo."

A festa acabou em choradeira.

Mas o que tinha acontecido?

Eu tinha tirado os papelotes e saído para ser "legal", para deixar todo mundo feliz, e tinha acabado por fazer todo mundo chorar. É claro que eu havia interpretado mal os meus sentimentos. Achei que estava me sentindo "legal". Talvez eu estivesse, na verdade, me sentindo chateada – não sabia o que eu estava sentindo.

Imaginem! Qual a pessoa que, estando envolvida num trabalho absorvente, poderia se dar ao luxo de ignorar seus verdadeiros sentimentos? Um cirurgião não poderia, cedendo aos argumentos de "seja bonzinho", fazer mais algumas operações por dia. Não seria seguro para os seus pacientes. Um acrobata que anda na corda bamba não se arriscaria a ir adiante num arame que lhe parecesse fraco. Poderia ser afinal sua última caminhada. Nenhum motorista de caminhão ia se arriscar a continuar dirigindo noite adentro, se sentisse as pálpebras pesadas: ele podia nunca chegar ao seu destino. Mas lá estava eu, com a mais absorvente de todas as tarefas — a criação de seres humanos — a ignorar meus sentimentos, sempre e sempre, como se não houvesse conseqüências.

Como é que eu estivera tão sem contato comigo mesma, no que se referia aos meus filhos? Por que é que eu passava constantemente uma rasteira em mim mesma, agindo de determinada forma quando na verdade sentia de outra? O que é que estava se interpondo em meu caminho?

Pensei em meus pais. Eles jamais tinham parecido confusos, absolutamente. Sabiam exatamente o que sentiam quando se tratava dos filhos. Uma centena de vezes, ouvi coisas desse tipo:

"Os filhos são a nossa vida."

"É com a saúde e a felicidade deles que mais nos preocupamos."

"Nenhum sacrifício de nossa parte é grande demais por eles."

A vida deles era uma vida de total devoção: eram os filhos, em primeiro lugar, em último lugar, e sempre.

E como é que eu me sentia com respeito a isso? Eu rejeitava, naturalmente! Era a mãe moderna, buscando novos caminhos. Eu havia ultrapassado essas noções estreitas, antiquadas e sempre baseadas no auto-sacrifício. Ou não?...

Então, por que é que eu ficava tão pouco à vontade quando certos pensamentos (pensamentos que meus pais teriam encarado com horror) se infiltravam na minha consciência:

"Quero minha vida própria, separada dos meus filhos."

"Criar seres humanos pode ser uma meta sublime, mas às vezes estou pouco ligando para isso."

"Estou enclausurada na rotina do dia-a-dia — os meninos ainda são tão pequenos; ainda tenho anos disso pela frente."

"Às vezes, eu até nem gosto dos meus filhos."

Quando justapunha estes pensamentos aos dos meus pais, àquela filosofia do tipo 'Tudo pelos filhos', eu me sentia como uma espécie de monstro.

E os meios de comunicação pouco faziam para melhorar o nível de minha auto-estima. O rádio, a televisão, os jornais e as revistas, todos eles veiculavam aos pais um conjunto diverso de mensagens igualmente irritantes:

Criar filhos deveria ser uma experiência natural, espontânea, alegre. (Ah, existem ocasiões difíceis, mas com um pouco de humor, pode-se contornar as tempestades.)

A gente tem de aprender a relaxar. Pais "soltos" contribuem para a existência de filhos "soltos".

Todos os pais precisam *ser mais:* mais flexíveis, mais criativos, mais compreensivos, mais brincalhões, mais ricos em expedientes.

E precisam *fazer mais*! Levar as crianças passear. Dar-lhes brinquedos criativos. Brincar com elas, tanto para diverti-las como para elevar-lhes o QI. Surpreendê-las com delícias feitas em casa, quando abrirem a lancheira. Tornar-se uma "mamãe ursa". Um líder comunitário. Ser uma mãe modelo, que o filho queira imitar. Ser uma supermãe!

Estas palavras de sabedoria devem ter sido dirigidas a algum paradigma, uma combinação de Mary Poppins, Joana D'Arc e Florence Nightingale. Provavelmente nenhum mortal comum conseguiria atingir tais padrões.

De repente me ocorreu isso. Havia uma espantosa similaridade entre os mandamentos da geração passada e os da geração atual. Em ambos os casos exigia-se um grau de desprendimento que parecia apropriado aos santos ou mártires. Mas no passado, pelo menos, a gente se candidatava ao galardão do martírio. Hoje, pelo contrário, esperam que a gente dê muito mais, que faça muito mais – e que sorria. Nem na geração passada nem na atual há espaço para pensamentos negativos. E a discrepância entre o que eu realmente *sentia* e o que me ensinaram que eu *devia* sentir dava-me a sensação de estar sendo apertada num torno.

Muitas vezes o Dr. Ginott dissera: "Os pais trabalham com uma culpa desnecessária". Pode ser que a minha culpa fosse desnecessária, mas não havia dúvida que estava ali – espicaçando-me para que eu fosse mais "legal" do que sentia; fazendo-me dar quando nada me era deixado para dar; instando-me em ir além de meus limites; e raramente permitindo-me dar-me ao luxo de sentir meus próprios sentimentos.

Ocorreu-me uma idéia espantosa. Eu permitiria às crianças que experimentassem *seus* sentimentos – até mesmo os negativos. E será que eu poderia, como adulta, outorgar-me o mesmo tipo de permissão nessa área altamente comprometida, e sentir-me, ainda assim, uma boa mãe? Este pensamento me excitou. Senti que havia descoberto algo importante.

Quando eu contei ao grupo o que me ia na cabeça, toquei numa corda de ressonância. O pessoal parece que "pegou" o meu entusiasmo, e começamos, juntas, a explorar essas idéias. Nossos debates devem ter causado um certo impacto, porque, na semana que se seguiu, voltaram a ser apresentados diversos casos, agora com um elemento novo.

Quando chegou a minha vez, anunciei: "Quero que vocês sejam as primeiras a saber de uma coisa que descobri! Eu ia voltando para casa, depois de ter feito uma série de coisas – tudo para o David. Era tarde e estava frio, e eu só estava imaginando como é que ia fazer para arrumar um jantar rápido. Eu ainda nem tinha tirado o casaco, quando o David pediu sopa. Eu não estava pensando em servir sopa, mas automaticamente comecei a procurar uma lata de sopa na despensa, pensando: "E por que não? Como poderia uma mãe amorosa negar ao seu filho uma sopa, numa noite fria?". Daí, pensei no nosso debate da semana passada, e ocorreu-me que na verdade eu não estava me sentindo uma mãe amorosa – *na verdade, eu estava de saco cheio*! Achar a lata, àquela hora, abri-la, e ter mais uma panela para lavar: parecia-me uma grande imposição. Então eu disse: 'Olha, David, sem sopa! Estou me sentindo atrapalhada. E bem que gostaria que alguém me ajudasse. Será que você poderia descascar as cenouras, hein?'

"E sabem o que aconteceu? Do mesmo jeito que tinha me batido aquela "luz", o David disse: 'Tá bom, de quantas cenouras você precisa?' Mas isso não foi tudo. Na noite seguinte, ele entrou na cozinha, olhou para minha cara e disse: 'Manhê, você tá numa boa, hoje? Será que não dava para você preparar uma sopinha?'

"Percebem? Me tocou de tal forma o fato de o meu filho se interessar pelo meu estado de espírito, que me ouvi dizendo: "Que tipo de sopa você gostaria de comer, David?"

O Dr. Ginott comentou: "Você deu ao seu filho algo mais importante do que sopa quente. Você serviu a ele os seus sentimentos honestos, e deu-lhe a oportunidade de levar em consideração as necessidades de outrem".

O grupo expressou incondicionalmente sua aprovação. Todas, exceto Katherine. Ela parecia pouco à vontade. "Na verdade não consigo me identificar com essa história. Imagino que talvez seja porque fui criada naquele tipo de casa onde os adultos vinham primeiro. Na casa dos meus pais não se sugeriria que as crianças descascassem as cenouras; esperava-se isso delas. E filho nenhum ia pensar em pedir algo diferente. A gente sabia que tinha de comer aquilo que era posto na mesa. Então, quer dizer, eu jamais enfrentaria um problema desse tipo. Com a maior facilidade, eu diria 'Não tem sopa, meu bem', e não veria necessidade de explicar por quê."

Ouvi Katherine e pensei comigo mesma: "É tão fácil para ela! Aquilo que estou lutando para assimilar, ela sabe visceralmente." E comecei a achar que, no meu caso, não importava quanto eu tentasse, a coisa seria sempre uma luta; eu ia estar sempre em luta com a minha tendência natural de colocar-me em último lugar.

Roslyn falou: "Mas essa história da sopa também não seria problema pra mim. Não me parece difícil concordar com meus sentimentos quando tenho direito a eles. E Jan, naquele caso, certamente tinha direito aos seus. Ela estava sendo pressionada pela necessidade de preparar o jantar rapidamente. Ela tinha toda razão de sentir-se como se sentiu."

O Dr. Ginott interrompeu. *"Roslyn, ninguém precisa de um motivo para sentir o que sente. A pessoa sente, e pronto, isso basta."*

Roslyn prosseguiu, como se não tivesse absolutamente ouvido as palavras dele: "Ontem de tarde, por exemplo, eu estava me sentindo muito cansada. Eu tivera uma boa noite de sono. Não havia motivo para eu me sentir tão cansada, e por isso, quando os meninos pediram para ir patinar no gelo, depois da escola, fiz uma forcinha e levei-os."

O Dr. Ginott respondeu: "Roslyn, um pai ou mãe não deve ser forçado a nada, nem por si mesmo. Você teria prestado um serviço maior, a você mesma e aos seus filhos, se tivesse dito: 'Escutem aqui, crianças, a mamãe está cansada. Vou para o meu quarto, descansar uma meia hora para refazer as energias. Sei que vocês serão capazes de inventar uma brincadeira qualquer que não faça barulho, enquanto a mamãe descansa'. 'Daí, Roslyn, você devia ter ido para o quarto e pendurado na porta uma plaquinha de "Não Perturbe".

Ouviu-se na sala um suspiro geral. Também eu senti uma grande sensação de alívio. Se o Dr. Ginott estava liberando para Roslyn todos os sentimentos dela, então eu também podia permitir-me todos os meus.

Durante os próximos dias, fiquei muito "sentimental". No princípio, certos sentimentos pareciam vagos, elusivos; não se encaixavam. Aí, pouco a pouco, aderi à idéia de forçar estes sentimentos imprecisos a se encaixarem num foco mais nítido. Sábado, por exemplo, estava todo mundo em cima de mim, cada qual querendo alguma coisa mais. Ao invés de pôr-me automaticamente a dar um jeito de contentar a todos, parei e perguntei a mim mesma: "O que é que você está realmente sentindo agora, Janet? Não, não peça desculpas, não se justifique – revele o que sente!"

Lentamente, respondi a mim mesma:

"Sinto-me como um pedaço de elástico esticado – sem elasticidade."

"Sinto que já não posso agüentar nem mais um 'pega para mim', 'me dá' ou 'me leva'."

"Tenho vontade de bater naquelas boquinhas pidonhas."

Eu disse às crianças: "Estou ouvindo um monte de pedidos de coisas diferentes. Mas, neste exato momento, tenho de ir cuidar de uma coisa. Quando eu voltar, discutiremos tudo isso". E pus o casaco e saí porta afora.

Eu mal dera a volta ao quarteirão, e já me sentia de coração surpreendentemente leve. Eu conseguia gozar até mesmo a mesquinha e pequena satisfação de ter puxado o tapete deles. Há uma verdadeira liberação em sermos capazes de confessar o nosso lado menos admirável! E há um sentimento de força, derivado do conhecimento de que o lado menos louvável não é permanente – o saber-se que o mero fato de sentir o pior não implica em assumi-lo permanentemente. Na verdade, eu não tinha batido neles.

Descrevi a experiência ao grupo. Lee foi cética.

"Lindo", disse ela, "você conseguiu fazer alguma coisa com relação aos seus sentimentos negativos. Mas o que há de bom em se descobrir o que se sente, se não se pode fazer algo a respeito? Muito bem, então admito a mim mesma que, às vezes, sinto muita raiva dos meus filhos. Ah, isso me faz muito bem mesmo! Volto para casa das compras, com oito pacotões e peço ajuda. Alguém berra: 'Já tô indo aí embaixo, mamãe.' Espero e não vem ninguém.

"Antes, eu costumava arranjar desculpas para eles. 'Ah, são crianças.' Agora, porém, estou perfeitamente ciente de que fico com raiva por ter de pedir ajuda. Eu gostaria que me oferecessem ajuda, espontaneamente e de boa vontade.

"Torno a pedir: 'Estou esperando. O sorvete está derretendo!' Ao ouvir 'Um minuto só, Mamãe!' digo a mim mesma: 'Que vão todos para o inferno!' e levo eu mesma os pacotes. E, durante o resto da noite, fico me remoendo por dentro... Meu problema é, Dr. Ginott, que eu duvido um pouco de que apenas saber o que a gente está sentindo possa levar automaticamente a uma solução."

O Dr. Ginott respondeu: "Lee, as suas dúvidas são justificadas. Há ocasiões em que conhecemos os nossos sentimentos e, ainda assim, nada podemos fazer a respeito. E, como adultos, sabemos também que há determinados sentimentos que fazemos melhor em não expressar. Dificilmente você diria a um homem atraente, num coquetel: 'Eu estava olhando você e fiquei imaginando que esplêndido amante você daria.' Você pode muito bem sentir isso mas não ia necessariamente exprimir esse pensamento.

"Entretanto, na situação por você descrita, Lee, acho que seria proveitoso se a sua família soubesse o que você estava sentindo. Você podia ter dito aos seus filhos exatamente o que disse a mim: "Quando peço ajuda e não a recebo, fico com raiva... Gosto que me ofereçam ajuda espontaneamente e de boa vontade... Quando tenho de carregar sozinha os pacotes, fico me remoendo por dentro!' Aí, se mesmo assim você não obtiver ajuda, pode anunciar em voz alta 'Estou carregando os pacotes sozinha, e agora a mãe de vocês está com raiva! Seus filhos notarão que há conseqüências desagradáveis, quando ignoram um pedido de ajuda."

O grupo decidiu que, dessa vez, não íamos perder tempo com os sentimentos que não pudessem ser exprimidos ou com os problemas que não tivessem solução. Decidimos concentrar-nos diretamente nos sentimentos e situações para os quais se pudesse encontrar respostas, mesmo que parciais.

Eu, de minha parte, estava ficando craque em pegar à unha determinado sentimento anteriormente descartado. Poderia descrever isso, mais propriamente, como uma espécie de sensação hermética, visceral. Ocorria geralmente quando eu tinha de tomar uma decisão rápida sobre algo para o qual eu não tinha uma resposta rápida. Agora, quando sentia aquele nó na garganta, eu reagia como se uma luz vermelha tivesse sido acionada: "Alto! Você está se sentindo em conflito. Algo a está perturbando tanto que chega a doer por dentro. Você precisa de tempo – tempo para pensar – tempo para separar o que importa do que não importa". Descobri que quando eu me concedia tempo, agia de uma posição mais favorável, mais fortalecida.

Contei ao grupo minha experiência com o Andy, quando ele me pediu para ser a mãe da classe. Nos últimos três anos ele vinha fazendo o mesmo pedido – e a cada ano que passava, minhas desculpas se tinham tornado mais elaboradas. Dessa vez, senti que não me restava desculpa. E eu já ia dizer sim, quando acendeu a luzinha dentro de mim. Então, eu disse: 'Andy, preciso de tempo para pensar no assunto. Depois da janta eu lhe dou uma resposta.' Durante a hora que se seguiu, repisei o assunto mentalmente. Como é que eu realmente me sentia, quanto a ser a mãe da classe?

"Odeio a simples idéia."

"Sinto-me mal em recusar."

"Mas afinal, o que é que há comigo? Outras mulheres assumem esse encargo sem fazer tanto drama."

"Mas... os telefonemas, e a coleta do dinheiro, e ter de planejar festas, pressionar as pessoas a se apresentarem como voluntárias."

"EU NÃO QUERO MESMO!"

"Quando o Andy me procurou, depois do jantar, eu estava pronta. 'Andy, pensei seriamente no seu pedido, porque sei que significa muito para você. Benzinho, a resposta é não. Esse negócio de ser a mãe da classe não é comigo. Mas, veja, há algo que eu gostaria de fazer. Eu gostaria muito de ir com você a uma excursão. Se você estiver de acordo, vou telefonar à sua professora e pedir a ela que coloque o meu nome em primeiro lugar na lista para a próxima excursão."

O Dr. Ginott comentou: "Os filhos são mestres em nos tirar do sério. Fazem todo o tipo de pergunta para as quais querem respostas imediatas: 'Manhê, posso ter um cachorro?' 'Paiê, posso ganhar uma bicicleta nova?' E não somos computadores que sejam capazes de fornecer respostas instantâneas. Quando nos concedemos tempo para aclarar nossos sentimentos, muitas vezes descobrimos que não estamos tão encurralados quanto pensávamos estar. Da reflexão surgem novas possibilidades.

"Notem o que acontece quando ponderamos uma decisão. Nossas respostas às crianças assumem uma qualidade inteiramente diversa. Ao invés de dizer 'Sim', com raiva, nós o dizemos amavelmente. E até o nosso 'Não' sai simplesmente, não defensivamente, e com uma genuína preocupação pelos sentimentos da criança.

"Houve, contudo, outro aspecto da sua história, que me intrigou, Jan. Foi quando você perguntou a si mesma, 'Mas o que é que há comigo? Por que é que eu não posso ser como as outras mães?' Uma pergunta desse tipo só confunde. Pressupõe que devêssemos ser como as outras pessoas. Mas não devemos. *Não* somos os outros. Somos nós mesmos. Você é *você*. E voltamos novamente ao mesmo ponto. Só podemos sentir o que sentimos.

"E na verdade sentimos de maneira muito diversa – cada um de nós – não apenas quanto a ser a mãe da classe, mas com respeito a tudo. Uma mãe adora cozinhar tendo os filhos por perto, enquanto que outra não suporta tê-los à barra da saia, na cozinha; uma adora reunir os pequenos para ler em voz alta para eles, ao passo que outra dá de ombros a esta idéia. Temos, cada qual, nossos pontos fortes e nossas limitações. E parte do processo de maturidade consiste em aprender a fazer amigos, com as nossas próprias limitações humanas."

Podia-se ouvir um alfinete caindo. Cada uma voltara-se para dentro de si mesma, para localizar sua "limitação" particular. Será que ela podia realmente fazer amigos com essa limitação? Será que podia sequer revelá-la?

Evelyn quebrou o silêncio. "Vou dizer a vocês o que me apavora. É meus filhos me dizerem que não sou uma mãe legal, que não brinco com eles. E sabem do que mais? Não sou mesmo. Me arrepio de aflição cada vez que eles me vêm com o tabuleiro de damas ou com um baralho. Realmente não gosto de jogos."

"Mas de jeito nenhum?", perguntou a Roslyn.

"Bom... gosto", respondeu Evelyn, "quando tenho tempo. Quer dizer... será que um filho não tem o direito de fazer a mãe brincar com ele?"

"Evelyn", disse o Dr. Ginott, "e onde é que está escrito que a mãe deve jogar baralho com o filho? Diga-me, você já leu todos os livros que gostaria de ler, ou já ouviu toda a música que gostaria de ouvir?"

Evelyn abriu a boca. "Quer dizer então que andei jogando 'Mico', 'War', 'Diplomacia', 'Banco Imobiliário' e estas coisas todas, todos esses anos, e não era preciso!"

"Mas, Dr. Ginott", protestou Roslyn, "eu gosto de jogar com meus filhos. É quase a única atividade que podemos compartilhar sem brigar. O senhor está dizendo que eu não devia?"

"Estou dizendo", respondeu o Dr. Ginott, "que é essencial trabalhar de uma maneira tal que seja compatível com nossos verdadeiros sentimentos. Se jogos irritam Evelyn, então é melhor que ela se recuse a jogar, porque, ao jogar 'War', ela pode estar começando uma guerrinha particular consigo mesma. Por outro lado, se jogar é uma experiência agradável para determinado pai ou mãe, a coisa provavelmente será gostosa para todos nessa casa.

"As crianças precisam de respostas verdadeiras. Se nossas palavras dizem uma coisa e nossos gestos e o tom de nossa voz dizem outra, podemos literalmente levá-las à loucura."

"Mas suponha", disse Roslyn numa voz convulsa, "que a sua resposta verdadeira não ajude em nada o seu filho. Por exemplo, eu detesto dirigir, mas quando se mora em bairros é uma necessidade absoluta. Tenho de levar a Amy de carro à casa das amigas, à biblioteca, à aula de piano, às reuniões das Bandeirantes, ao ortodontista. Gasto metade do meu dia 'choferando-a' para cima e para baixo. Mas nem por isso posso me imaginar jogando todo o meu ressentimento em cima da Amy. Ela não pode fazer nada. Então, digo, 'Vamos lá, meu bem!', com toda a afetividade que consigo reunir."

"Eu teria muito interesse em ver a sua exclamação de afetividade", disse o Dr. Ginott. "Tenho a impressão de que, de alguma forma, enquanto sua boca está sorrindo, seus olhos estão soltando faíscas. Roslyn, você realmente acredita que a sua filha não perceba que você está irritada? Garanto a você que ela percebe. Posso também garantir-lhe que ela saberia lidar melhor com a sua honesta emoção do que com um sorriso fingido."

"O senhor está sugerindo que eu diga a ela que ela é uma verdadeira dor de cabeça e que me recuse a levá-la de carro pra cima e pra baixo?"

"Estou sugerindo", disse o Dr. Ginott, "que, havendo uma situação tensa, uma boa alternativa, para o pai ou mãe, é perguntar a si mesmo: 'De quem é o problema?". Se o problema foi da criança, ela fala. Se for dos pais, eles falam. Falam de si mesmos e de seus sentimentos. Sem xingar ou acusar. A palavra chave é 'eu'.

"No seu caso, Roslyn, você podia dizer: 'Amy, eu tenho um problema. Algumas pessoas gostam de dirigir. Mas eu odeio. Sempre que tenho de dirigir, digo a mim mesma: 'Agora tenho de interromper o que estava fazendo, vestir o casaco, sair no frio, lutar com aquela porta da garagem, caçar as chaves, tentar fazer o carro pegar. Só de pensar em dirigir me sinto mal!"

"Daí o que acontece? A Amy tem de se haver com o desgosto que dirigir causa a você. Talvez as amigas dela pudessem ir visitá-la mais vezes. Talvez ela pudesse ir a pé até a biblioteca ou até a reunião das Bandeirantes. Caminhar é um ótimo exercício. E a bicicleta poderia se tornar para ela um meio de transporte, sempre que possível. Roslyn, isso não poria fim definitivamente à sua 'choferagem', mas iria reduzi-la. E a Amy, sabendo o quanto é duro para você dirigir, podia começar a pedir de um jeito diferente: "Mamãe, será que você se importa...' E até isso podia diminuir o seu ressentimento. Mas, o que é mais importante, a sua filha terá ouvido os sentimentos honestos da mãe dela, ao invés duma confusa mensagem dúplice."

Eu ouvia e pensava: 'Devo ter percorrido um longo caminho."

Pouco tempo atrás, eu devia ter dito a mim mesma, "Talvez seja certo para a Roslyn, não para mim. Meu filho não ia ter de agüentar meus sentimentos reais ou minhas limitações. Eu ia me pôr acima deles. Qualquer outra coisa seria irresponsável. Porque a primeira obrigação dos pais é para com os filhos!"

Nem tanto. Um pai ou mãe tem outra primeira obrigação: para consigo mesmo. Para com os seus sentimentos, necessidades, e até mesmo para com suas "limitações."

Aquelas palavras originais do Dr. Ginott, que eu copiara tão de má vontade no meu caderno de notas, de repente pareceram muito amistosas, plenas de significado e relevantes.

Pais e mães deviam respeitar seus próprios limites.

A gente pode ser um pouquinho mais 'legal' do que está sentindo, mas não muito.

É importante aceitar-se a realidade de nossos sentimentos do momento.

A melhor atitude é sermos autênticos com nossos filhos.

Capítulo X
Proteção - Para Mim, Para Eles, Para Todos Nós

Haviam-se passado seis meses. Parecia estranho pensar que um dia eu já duvidara da importância dos meus sentimentos. Agora eu já os consultava quase automaticamente, e a cada vez parecia um pouco mais fácil.

Agora, quando eu ameaçava uma recaída (e ainda ameaçava), era com uma diferença. Uma parte de mim ficava friamente assistindo à mecânica do que estava acontecendo. Parecia-me que, sempre que eu ignorava os meus sentimentos, uma dinâmica quase diabólica ia se pôr em movimento.

A seqüência era a seguinte:

1. Os filhos fazem exigências.
2. A mãe ignora seus sentimentos negativos e concorda.
3. O ressentimento insinua-se furtivamente.
4. O ressentimento se externa.
5. Alguém se "machuca".
6. A família inteira sofre.

O modelo se repetia toda vez.

Daquela vez que me obriguei a aturar a martelagem "criativa" do David ao piano, mesmo estando com dor de cabeça. Daí, uma hora depois, lá estava eu distribuindo coices para todo mundo e mandando o David para a cama, cedo, confuso e em lágrimas.

Daquela vez que deixei a Jill me "enrolar" e comprei para ela um par de sapatos de que ela na verdade não precisava. Ah, o longo e raivoso sermão que lhe fiz, de volta à casa, sobre os males da extravagância. E a Jill chegou em casa mal humorada, hostil, "gozando da cara" do irmão.

E parecia que o mesmo se aplicava a Ted, também. Aquela vez em que ele cancelou uma pescaria para levar as crianças a um parque de diversões. O Andy se queixando de que o Ted era "miserável" por não deixá-lo dar outra volta na montanha russa. E a mão de Ted esbofeteando Andy com desusada força. O grito de Andy e eu com raiva do Ted por sua reação exagerada. A Jill indagando de nós se íamos nos divorciar.

De experiências como essas, veio-me uma profunda convicção: se os sentimentos dos pais controlam os grandes mecanismos da vida familiar, então esses sentimentos têm de ser protegidos. Se a mãe ou o pai forem pressionados além do que podem resistir, levados a um estado de total ressentimento ou falta de controle, a melhor das situações pode transformar-se em amargura, e a pior pode se transformar num pesadelo. Mas, se o pai ou a mãe se sentir calmo, estável, sob controle, cheio de boa vontade, quase tudo pode ser arranjado, quase tudo pode ser suportável, pode-se dar um jeitinho, contornar a situação ou conviver com ela, e até mesmo rir-se dela. Aí as crianças estão a salvo: estão em boas mãos.

Assim, esforcei-me para aprender melhor como proteger-me – como defender-me da minha boa vontade. Para o bem de todos nós, eu tentava sintonizar-me cuidadosamente com o que realmente sentia; tentava não dar em demasia, evitar de ver-me privada do meu controle; ser quase sovina às vezes, de forma que pudesse ser mais generosa mais tarde; proteger o cerne da minha equanimidade, como a fonte de minha força – como uma fonte de força para cada membro de minha família.

Tive um novo respeito por mim mesma, um novo critério de autovalor. Comparei-me a uma partezinha de maquinaria desempenhando uma função vital: um instrumento complexo, delicado, que devia ser manuseado com cuidado e mantido em sua melhor condição.

Não. Mais que isso. Eu era a Abelha Rainha: o centro nervoso do qual dependia toda a colônia; a força que polarizava a vida da colmeia. E a desgraça nos atinge a todos quando as necessidades da Rainha são ignoradas!

O simples fato de abrigar essa espécie de pensamentos começou a afetar meu comportamento. Antigamente, ao focalizar minhas próprias necessidades, eu o fazia com um espírito de desafio – algo como "Eu também sou gente. Também tenho meus direitos". Agora, porém, ao proteger-me, sentia uma calma certeza. O que eu estava fazendo era por mim, por eles, por nós todos.

Notei que havia desaparecido o meu velho jeito de explicar-me quase com embaraço. Antes, costumava ser assim: "Desculpe, benzinho. Eu sei que disse que ia levar você comprar uma luva nova de bêisebol hoje à tarde, mas fiquei arrumando os armários o dia todo e estou pregada. Deixe-me descansar um pouquinho e vamos ver como é que eu me sinto daqui a pouco, tá?"

Imaginem! Uma mulher adulta, dizendo a uma criança "deixa"!

Imaginem! Uma mãe pedindo licença ao filho para descansar um pouquinho antes que ela caia de cansaço!

Imaginem um adulto colocando seu bem-estar nas mãos de uma criança! Confesso, porém, que até isso foi um progresso. Tempo houve que, se eu dissesse que ia, eu ia – cansada ou não. E que mais podia fazer uma "boa mãe"?

Olhei retrospectivamente para essas duas fases, grata por terem ambas ficado para trás. Eu estava agora num nível diferente. Minha senha tornou-se esta:

"Não cabem explicações."

Ou esta: "Não cabem desculpas."

Ou ainda: "A proteção da minha família começa pela minha autoproteção."

Agora, eu diria: "Benzinho, tenho uma notícia que vai frustrar a nós dois. Eu tinha planejado levar você para comprar uma luva nova de bêisebol hoje, e agora estou vendo que não posso. Mas espero estar livre sexta ou sábado à tarde. Quando é que você prefere, hein?" E, caso se levantasse uma indignada onda de protestos, eu não me deixava vencer pela dúvida; simplesmente, e com toda a calma, eu repetia: "Sexta ou sábado à tarde". Mais um choramingo e eu saía da sala. Os pais não devem agüentar chiliques.

E havia ainda outra maneira que eu estava aprendendo de proteger-me – não só das exigências deles, mas do estado de espírito deles. Só porque o Andy estava mortificado por não ter alguém com quem brincar, isso não queria dizer que eu tivesse de compartilhar com ele esse estado de ânimo. Só porque a Jill já estava tremendo de medo da prova, isso não queria dizer que eu devesse tremer junto com ela.

Muitas e muitas vezes o Dr. Ginott salientara que era do interesse da saúde mental dos pais o não se deixar infestar pelo estado de espírito dos filhos. Ele dizia: "Um médico seria de pouca utilidade para seu paciente se tivesse de pegar todas as suas doenças".

Meus pais jamais conseguiriam entender isso. Eles teriam vergonha de sorrir quando nós estivéssemos infelizes. Para eles, pareceria um sinal de que não "ligavam" para nós. Verdadeiros pais sofriam junto com os filhos.

Ah, eu estava tão feliz por ver-me liberta dessa onerosa atitude! Quando David se desfez em lágrimas por não ter sido escolhido para fazer parte da orquestra da escola, ouvi suas lamentações e solidarizei-me, empatizei com ele. A certa altura, porém, a coisa começou a "passar" para mim. Levantei-me para sair e disse: "Bom, agora tenho de me aprontar para sair. Papai e eu temos ingressos para o teatro esta noite."

O David ficou perplexo. "Como é que vocês podem estar tão alegres", perguntou ele, "quando estou me sentindo tão desgraçado?"

Pensei naquilo. "É porque, David, você é uma pessoa e eu sou outra. Ambos temos sentimentos diferentes. Mas entendo que você está sofrendo".

Eu não só disse as palavras, mas acho que as exprimi! Havia só uma coisa que me impedia de me vangloriar. Era a lembrança da última vez em que eu e o Ted projetáramos ir ao teatro e já tínhamos os ingressos. O David teve um problema qualquer, e, ao invés de saber o suficiente para deixar o problema em casa, eu o levei comigo. Juntos, eu e Ted mergulhamos na coisa! Juntos, agonizamos com a agonia do nosso filho! Coitado do Ted. Expus-lhe o problema durante o jantar; apresentei-o a ele com duas possíveis soluções antes que a cortina subisse; e, nos intervalos, exigi a reação dele a cada uma delas. A peça era uma comédia, mas nenhum de nós riu muito. Quando a cortina desceu, Ted não conseguia olhar para mim.

Esta noite ia ser diferente. Agora, eu deixaria em casa, com David, o problema de David, e ia usufruir uma noite fora com meu marido.

Aí, então, havia o outro lado da moeda. Ocasionalmente, as crianças precisavam de proteção contra mim – contra os meus estados de espírito. Um mês atrás, uma amiga querida estava entre a vida e a morte, após um sério acidente de automóvel. Eu não queria perturbar as crianças, e, assim, tentei passar o dia da maneira habitual.

Mas nada havia de habitual no meu comportamento. As crianças falavam comigo e eu não as ouvia. Mesmo quando tentava ouvir, minha mente divagava. Minutos depois eu me descobria a gritar por causa duma almofada fora do lugar. Ocorreu-me, depois de algum tempo, ao olhar para suas carinhas desconcertadas, que talvez as crianças devessem saber de alguma coisa.

Chamei-os ao meu quarto e disse, procurando cuidadosamente as palavras: "Crianças, vocês devem ter notado que tenho andado nervosa e distraída... provavelmente não esteja sendo muito fácil conversar comigo ultimamente, não é mesmo? Agora eu quero que vocês saibam que não é nada com vocês – absolutamente nada. É porque estou com algo ocupando meus pensamentos".

Não ousei dizer nada mais, porque minha voz estava começando a tremer. Saí do quarto perguntando a mim mesma se eles teriam sequer me entendido. Não, não tinham, concluí, quando o Andy entrou, minutos depois, histérico. Alguém tinha "roubado" seu lápis vermelho novo.

Pensei: "Que é que eu vou fazer? Não estou com forças para agüentar isso agora". Dali a pouco, apareceu o David. Colocou o braço ao redor do Andy e, delicadamente, disse: "Não amole a Mamãe agora. Vem cá, vou ajudar você a achar seu lápis".

Pensei: "Que amor! Ele tinha me ouvido. Eu queria ter falado mais cedo.Talvez na próxima vez eu seja capaz de me movimentar com mais presteza. Talvez na próxima vez eu seja até capaz de alertar a família para o meu estado de espírito *com antecedência*, de forma que eles pudessem se abrigar antes de a tempestade irromper".

A próxima vez foi no Dia de Ação de Graças. Acordei, pela manhã, e olhei para o Ted dormindo pacificamente. "Felizardo", pensei eu, "ele não tem de se preocupar com vinte e dois parentes caindo em cima dele antes de as camas estarem arrumadas, a mesa posta ou a banheira limpa."

Um ano atrás, eu teria sentido necessidade de suplantar meu pânico bancando a mãe de revista – toda sorridente num avental florido, untando o peru com uma mão enquanto com a outra ajudava a Jill a mexer no xaxim. (Era muito importante que as crianças se sentissem participantes.)

Agora, meu único pensamento era: "Como é que eu vou manter a calma?" Meti meus velhos jeans, fui para a cozinha e botei mãos à obra. Estava com um punhado de recheio na mão e ia indo direto para o peru, quando Andy e David apareceram na porta. O Andy berrava: "Não põe não! Deixa eu!". David empurrou-o e gritou: "O ano passado foi você. Agora é minha vez!"

Não havia um minuto a perder. A Rainha estava em perigo! O inimigo entrara. Toda a colmeia estava ameaçada! Reuni todas as reservas disponíveis para a defesa. Anunciei: "Escutem aqui, vocês dois. Estou uma fera, uma vespa! A mínima coisinha será capaz de me fazer perder as estribeiras, daí vou partir para cima de vocês e ferroar! E não quero que ninguém se machuque".

David disse: "Posso ficar, se ficar quieto e só fizer o que você mandar?"

"Pode, mas só se você estiver superdisposto a colaborar, caso contrário azule daqui, porque você se arrisca!"

A ameaça foi demais para o Andy. Ele tinha de me experimentar. "Mas você prometeu que eu podia fazer de novo este ano!". Ainda com o recheio na mão, agarrei-o pelos ombros, empurrei-o porta afora e disse: "FORA!" E expulsei o sabotador.

Era gratificante. Que força, estar tão em sintonia com meus próprios sentimentos a ponto de poder dar a mim mesma, e à minha família, a proteção de que precisávamos, no momento em que dela necessitávamos!

Jill voltou da escola com um sorriso de felicidade na cara. Eu disse: "Êi, o que é que há de tão engraçado?"

E ela: "Bom, você sabe a Robin? Ela pensa que é a maior. Na fila do lanche ela sempre passa na minha frente, daí diz: 'Ah, Jill, você não se importa que eu fique na sua frente, né? Por favor, vou ser sua melhor amiga, tá?' E eu sempre deixo, mesmo quando não quero – e daí ela nem me olha mais na cara! E começa a chamar todas as amigas dela que estão na fila, na frente dela.

"Bom, sabe o que eu disse, hoje? Eu disse: 'Não, Robin, cheguei à conclusão de que não gosto que você passe na minha frente.' E você sabe o que ela fez? Foi para o fim da fila."

Fiquei espantada. Essa "maldita" Robin estivera passando minha filha para trás desde o começo do trimestre. Onde é que a Jill tinha arrumado o sangue frio e o *know-how* necessários para reagir?

Eu sabia a resposta. Fora comigo que ela arrumara! E, embora isso jamais pudesse ser cientificamente provado, eu era estável. Ela aprendera comigo! Todos aqueles meses insistindo na importância dos *meus* sentimentos haviam sido um modelo para minha filha. De minha força, recém-descoberta, Jill aprendera aquilo que mil preleções não lhe poderiam ter ensinado.

Em meio ao meu orgulho maternal, experimentei uma pontinha de inveja. Jill sabia, aos oito anos de idade, o que eu levara metade de uma vida para aprender.

Capítulo XI
Culpa e Sofrimento

Durante todas essas sessões nas quais havíamos explorado os sentimentos dos pais e o meio de protegê-los, Katherine mantivera-se silenciosamente sentada. Mas, sem sombra de dúvida, a desaprovação transcendia seus lábios fechados. Por fim, um dia ela explodiu.

"Dr. Ginott, temos estado falando sobre os sentimentos dos pais, como se eles existissem num vácuo! Nossos filhos não têm ninguém mais, a não ser nós, de quem possam depender! E será que os pais podem ser tão auto-indulgentes a ponto de parar de fazer algo pelos filhos? Um filho está à nossa mercê. Não podemos simplesmente condescender a cada sentimento nosso! Ora, se a mãe fosse dar ouvidos aos seus verdadeiros sentimentos, ela ficaria na cama até o meio-dia, nunca trocaria a fralda do bebê, e botaria um pirulito na boquinha dele a cada vez que ele chorasse – só por não suportar barulho! Ora, se os pais não tomarem conta dos filhos, quem tomará?"

"Katherine", disse o Dr. Ginott, "sua preocupação é válida. É obrigação dos pais tomarem conta dos filhos, atenderem às reais necessidades deles, especialmente nos primeiros anos. A mãe pode querer uma boa noite de sono, mas não pode tê-la. O nenê precisa da mamadeira às duas da manhã. Se o garotinho, começando a andar, fica cansado, é preciso carregá-lo."

"Mas, à medida que a criança cresce, já não requer imediatamente satisfação de suas necessidades. Isso nem é bom para ela. Na condição de pais, é nosso dever começar a ensinar a criança, pouco a pouco, como adiar algumas de suas necessidades. Isto a ajuda a crescer. Uma criança de cinco anos, por exemplo, pode, com alguma ajuda, esperar um pouquinho para ir ao banheiro enquanto a mãe dela espera a vez, na fila do supermercado. Basta a mãe sussurrar: "Sei que é duro esperar, quando se está apertada. Mas assim que eu passar pela caixa, a gente vai correndo ao banheiro". Dessa forma, a mãe ensina à criança a agüentar um desconforto temporário, em deferência aos sentimentos dos que estão à sua volta. Não queremos que nossos filhos continuem a ser emocionalmente infantis. Gostaríamos que eles fossem capazes de levar em consideração os sentimentos dos outros."

Nell pareceu não gostar. "Mas, Dr. Ginott", disse ela, "o que é que o senhor faz, quando tem um conflito entre as necessidades da criança e as necessidades dos pais? Quer dizer... bem, como o senhor sabe, o Kenneth praticamente não tem amigos. Seus dias, na maioria, são bastante solitários. Ontem, uma vizinha foi lá em casa, com um cachorrinho com o qual ela não podia mais ficar, e perguntou se o queríamos. O senhor devia ter visto o Kenneth. Ele ficou de joelhos, e havia uma tal expressão em seu rosto, enquanto segurava aquele cachorro, que eu nunca vira antes. Esfregou o rosto no pêlo do cachorrinho e olhou para cima, e disse: 'Podemos ficar com ele, mamãe? Ah, por favor, Mamãe, podemos?'

Eu queria tanto dá-lo a ele. Era um cachorrinho adorável, e eu bem sabia o que ele ia significar para o Kenneth. Mas, Dr. Ginott, sou alérgica ao pêlo de animais... Me faz tossir. Simplesmente não sei o que fazer quanto a isso. A necessidade dele é tão grande! Acho que vou acabar deixando que ele fique com o bichinho."

Com muita delicadeza, o Dr. Ginott disse: "Nell, *o prazer do filho não devia custar o sofrimento da mãe ou do pai.* O preço é alto demais, para ambos. O pai ou a mãe paga com sua saúde, e com sua boa vontade, e o filho paga de outro jeito.

"O que é que a criança diz para si mesma, quando consegue qualquer coisa às custas do pai ou da mãe? Ela diz: 'Fiz a minha mãe arranjar um cachorro. Minha mãe está tossindo e se sentindo mal por minha causa. Sou horrível. Estou assustado!'

"Nell, quando os filhos nos vêem sofrer por causa deles, sentem-se automaticamente responsáveis por isso. Nosso sofrimento lhes transmite culpa e medo.

"Agora, voltemos à nossa afirmação original, sobre o conflito de necessidades. Sempre que ouço qualquer coisa sobre o fato de uma criança precisar de algo, pergunto a mim mesmo: 'Será que a criança *precisa* disso, ou será que ela *quer* isso?' Nem sempre é fácil distinguir entre as duas coisas. A criança tem muitas necessidades reais, que podem e devem ser satisfeitas. Mas os seus *queros* são um poço sem fundo. Ela quer, por exemplo, dormir com os pais. Mas precisa ficar na sua própria cama. No Natal, a criança quer tudo quanto é brinquedo anunciado na televisão. Mas precisa apenas de um ou dois.

"Agora, Nell, e quanto ao caso do Kenneth, hein? O que é que ele quer? Ele quer um cachorro. Nell, mas do que é que ele *precisa,* hein?"

Nell pensou um pouco. Sem muita certeza, disse: "Acho que ele precisa é de um amigo."

"E tudo o que ele precisa, de você", disse o Dr. Ginott, "é do seu apoio, enquanto está tentando fazer um amigo." Daí, ele se voltou para o grupo. "Quando deixamos que os nossos filhos nos vejam sofrer por causa deles, estamos lhes prestando um desserviço. Porque então estamos lhes ensinando, através do nosso próprio exemplo, a não se proteger. Estamos ensinando a eles como ser fracos, e não fortes."

Eu ouvia atentamente. Aquilo que o Dr. Ginott estava descrevendo, o "sofrer por amor" dos pais em relação aos filhos, constituíra-se numa parte normal dos meus anos de crescimento. E não só comigo! Em quase todas as casas de qualquer grupo étnico da vizinhança, que eu freqüentava na época, ouvira algo assim:

"Você acaba comigo. Sabe em que estado eu fico sempre que você fai lá, né? Bom, mas se é importante para você, então vá!"

Ou então: "Coma tudo, meu bem. Você está crescendo, não se importe comigo. Eu me arranjo com qualquer coisinha".

"Não se preocupe com dinheiro, filho. Se eu tiver de fazer horas extra, faço. Preocupe-se apenas em estudar."

A única recompensa que esses pais queriam eram o amor e a gratidão dos filhos. Mas seus filhos não se sentiam agradecidos. Sentiam ódio. Os pais queriam dar-lhes tudo de si: sua dor, seu sofrimento, seu sacrifício – e os filhos ficavam sufocados.

Fiz mentalmente uma observação e tentei gravá-la: qualquer sofrimento que eu suportasse por causa dos meus filhos não devia ser da conta deles. Eu tentaria fazer as coisas por eles de boa vontade, sem coações – ou então não fazê-las. Eu podia perceber que seria melhor não dar nada do que dar uma carga de culpa.

Na próxima sessão, foi a Roslyn que veio com um problema. "Nem sei direito por que é que eu devia ficar tão perturbada, mas estou. Hoje o Peter acordou tarde, aprontou-se às pressas para sair, e não conseguia encontrar meias. Quando ele me perguntou pelas meias, fiquei pálida, porque sabia que toda a roupa para lavar estava de molho na máquina. Imediatamente eu disse, 'Peter, tenho uma solução, você pode pegar emprestado um par do papai.'

"Ele começou a dizer que a roupa nunca estava pronta, e que não podia depender de mim para nada. Tentei explicar que tinha andado muito ocupada ultimamente, mas ele simplesmente não queria me dar ouvidos. Por fim, saiu de casa ventando – atrasado e *sem meias.* E eu me senti uma mãe desnaturada."

O Dr. Ginott sorriu tristemente. "Não é preciso muita coisa para despertar o sentimento de culpa dos pais, não é mesmo? Mas, deixar que o filho da gente saiba que tem o poder de nos fazer sentir culpados não é proveitoso para ele. A criança de repente assume o papel de advogado de acusação, enquanto o pai ou a mãe ficam no banco das testemunhas. Como é que você acha que o filho se sente, quando a gente o deixa fazer isso?"

Roslyn pensou um pouco. Depois, tentou, "Culpado... Com medo... como uma pessoa horrível."

"Tudo isso", disse o Dr. Ginott.

Roslyn suspirou profundamente. "E realmente pensei que o estivesse ajudando!... Mas ainda não percebo o que mais eu podia ter feito."

"Falamos, anteriormente, das verdadeiras necessidades dos filhos", disse o Dr. Ginott. "O de que Peter precisava, hoje de manhã, não era uma explicação culposa ou uma solução imediata. Precisava da oportunidade de exercitar sua autonomia, sua própria iniciativa. Precisava resolver seu próprio problema.

"No entanto, como é que o ajudamos com suas verdadeiras necessidades? Antes de mais nada, enquanto estiver preocupado apenas com quem culpar e xingar, ele não consegue pensar construtivamente. Acusações e contra-acusações só virão atrapalhar. Será que podemos aliviá-lo disso? Podemos, com um simples 'Filho, a responsabilidade quanto às meias limpas é toda minha.' Isto deixa o Peter mais livre para pensar em termos de soluções.

"Em segundo lugar, vamos ajudá-lo a reconhecer a dificuldade de seu problema. Você podia dizer-lhe: 'O que é que a gente faz num caso destes? Não temos em casa um par de meias secas. Eis o que eu chamo de um verdadeiro dilema!' Descrevendo o problema dele seriamente, demonstramos-lhe que, seja lá o que for que o esteja perturbando, é algo digno de respeito.

"Então, Roslyn, vem o mais difícil de tudo. Diga a si mesma: *'Não faça absolutamente nada, fique aí.'* Veja, depende exclusivamente dos pais ficar lá, quietinhos, enquanto o próprio filho descobre a solução. E isso é a maior ajuda que lhes podemos dar."

Helen levantou a mão. "Tive uma experiência igualzinha à da Roslyn. Na verdade, estou bem no meio dela. Hoje é dia do piquenique da escola. A Laurie tinha me lembrado para comprar uma lata de refrigerante, uma lata de atum e um bolinho. Bom, esqueci. Andei tão ocupada, cinzelando minha nova escultura, *Mãe e Filho,* que acabei negligenciando minha própria filha. Hoje de manhã, quando Laurie abriu a porta da geladeira, ela ficou pálida.

" 'Mamãe', gritou ela, 'só tem pão, maionese, ketchup, mostarda e uma lata de comida para o gato. O que é que eu vou fazer com isso?'

"Podem imaginar como me senti! Mas estava determinada a não deixar que Laurie soubesse. Então eu disse, 'Benzinho, era meu dever comprar as suas coisas para o piquenique, mas, de alguma forma, esqueci. Estamos num beco sem saída. Mesmo que você saísse catando por aí, não sei o que poderia arranjar.'

"E não é que ela saiu catando? Finalmente, achou um frasco quase vazio de creme de amendoim. Rapidamente, esparramou-o em duas fatias de pão seco, enquanto resmungava consigo mesma que não tinha nem sobremesa. Daí, ela foi lá em cima. Quando voltou à cozinha, vinha triunfante, com um pirulito de limão, e disse: 'Olha, achei lá em cima! Tinha sobrado do Dia das Bruxas!'

"Não foi um atitude corajosa? E eu a ajudei, não ajudei? Quer dizer, não ofereci a ela meu sentimento de culpa, e levei-a a focalizar as soluções para o problema – por isso eu devia me sentir bem... mas me sinto horrível. Não consigo pensar nela sentada lá, com um lanche patético, enquanto as outras crianças se enchem de guloseimas que lhes foram preparadas, com a devida antecedência, por suas mães responsáveis. É provável que eu tenha estragado o dia dela. Nem sei o que dizer a ela quando voltar para casa hoje à tarde. Talvez eu me limite a dizer-lhe o quanto sinto, e a tentar, de alguma forma, remediar a situação."

"Helen", disse o Dr. Ginott, "na qualidade de pais, não seremos capazes de nos manter sempre a salvo de sentimentos de culpa, mas podemos dizer a nós mesmos 'Não devo permitir que meu filho saiba desses sentimentos; é perigoso demais – para todo mundo.' Quando se dá a uma criança o poder de ativar nossa culpa, é como se lhe déssemos uma bomba atômica. Como a Roslyn salientou, o filho que desperta a culpa dos pais sente-se culpado por tê-lo feito. E você sabe qual a emoção que finalmente experimentamos em relação à pessoa que nos faz sentir culpados? É ódio. Quando permitimos que a culpa se instale, fazemos um convite ao ódio."

Estas palavras tiveram o condão de tocar um nervo exposto em Lee. "É verdade!" gritou ela. "Podemos chegar a odiar as pessoas que nos fazem sentir culpados! Sempre gostei muito de minha sogra, que é uma mulherona independente, franca, cordial. Mas ultimamente não sei o que deu nela. Tornou-se mestra em despertar a culpa na gente. Ah, ela jamais me acusaria abertamente de alguma coisa, vejam bem. Mas deu para dizer coisas do tipo: 'Você sabia que eu ia ao médico, meu bem. Achei que fosse ter notícias suas...' Ou então: 'Ah, eu adoraria passar mais tempo com você, Lee, mas sei que você é muito ocupada, e procuro compreender.'

"Acho que não é muito bonito da minha parte, mas me descubro evitando-a estes dias. Sempre que ela anda por perto, cada palavra que me sai da boca é desculpa. A coisa anda de um jeito que tenho medo até dos telefonemas dela. Vocês sabem, nunca falei disso antes, mas a culpa é uma espécie de veneno – não é mesmo? A gente não consegue vê-lo, mas, uma vez que ele se infiltre numa relação, tudo o que antes era cálido e amistoso entre duas pessoas murcha rapidamente e morre."

Helen, que tinha os olhos pregados em Lee, inclinou-se para a frente. "Veneno, essa é a palavra exata!" exclamou ela. "E não é apenas fatal para um relacionamento, mas até mesmo uma pequena dose dele pode alterar até a personalidade da gente. A gente de repente se descobre dizendo e fazendo coisas que nos tornam estranhos a nós mesmos. Veja, por exemplo, o que aconteceu hoje de manhã. Senti-me tão culpada, depois que a Laurie saiu, que tudo o que eu conseguia pensar era em me desculpar quando ela voltasse. Eu estava de tal jeito que, se ela tivesse me chamado de 'desorganizada' ou 'relaxada', é provável que eu tivesse concordado com ela. Mas eu não sou assim!"

Helen voltou-se para o Dr. Ginott. "E o senhor percebe aonde isso teria me levado? Eu a teria deixado sentida por me ter feito sentir-me culpada. Ela teria odiado a *si mesma* por ter-me feito sentir-me culpada. E nós duas teríamos ficado sentidas, uma com a outra. Bom, quando ela voltar, não haverá desculpas. Na verdade, se ela ousar abrir a boca para me acusar, sou capaz de bater nela."

Todo mundo riu.

"Não é tão engraçado", disse a Helen. "Ainda nem sei o que dizer a ela quando ela chegar, esta tarde."

"Em primeiro lugar", disse o Dr. Ginott, "não seja você a ventilar o assunto. Muitas e muitas vezes, aquilo que teria dado margem a uma crise, de manhã, já se resolveu de tarde. É até possível que a tragédia tenha se transformado num triunfo: ela pode ter trocado seu pirulito por uma perna de frango! Ou outra criança pode ter-se oferecido para dividir seu suco com a Laurie. Talvez, daí, tenha se iniciado uma nova amizade!

"Em segundo lugar, Helen, nossas alternativas não são tão estritas. Temos à nossa disposição toda uma série de respostas mais eficazes do que bater ou desculpar-se. Podemos dizer, por exemplo, alguma coisa deste tipo – dependendo de nosso estado de espírito na ocasião, é claro:

" 'Laurie, essa não é uma boa maneira de me abordar. Não gosto quando me atacam.'

" 'Laurie, quando me xingam, não há nada que eu possa fazer. Nem mesmo ouvir.'

" 'Sem acusações, Laurie! Se você tem alguma recomendação a fazer, faça por escrito, de modo que eu possa considerá-la!'

" 'Benzinho, me fale do seu desapontamento, da sua irritação, dos seus sentimentos. Daí vou ficar sabendo quais são esses sentimentos, e poderei responder.'

"Você percebe, Helen, que há muitas maneiras de desarmar nossos filhos e de ensiná-los, ao mesmo tempo, qual a maneira de nos abordar com uma queixa. Me diga uma coisa: isso que estou dizendo faz sentido para você?"

Helen ergueu os olhos do caderno. "Estou escrevendo o mais rápido que posso, enquanto o senhor fala", sorriu ela. "E, esteja certo, garanto-lhe que antes de o dia acabar, uma dessas afirmações será usada. Acho que o que mais me agrada é a idéia de não ter de ser vítima voluntária quando uma criança de oito anos vem até mim. Mas...' e aqui ela se deteve.

"Alguma coisa ainda está chateando você?"

"Está, sim! A verdade é que... eu *devia* ter as coisas preparadas para ela hoje, e fico me remoendo por não ter tido."

"Agora", disse o Dr. Ginott, "a questão é: o que é que a gente faz com nossos sentimentos de culpa? Novamente aqui, Helen, existem alternativas. Podemos falar com outras pessoas – com uma amiga, com o marido, com nosso grupo aqui, com um ministro, um rabino, um padre, um terapeuta – alguém que nos dê ouvidos sem se constituir num juiz.

"E podemos conversar conosco mesmos. Podemos contar a nós mesmos: 'Não consigo me livrar da minha culpa sem a ajuda dos meus filhos. Não preciso que me absolvam. Não preciso ouvir de uma menininha 'Você está perdoada, Mamãe'. Basta-me que eu me decida a ser melhor da próxima vez.' "

Evelyn parecia em dúvida. "Não sei se entendo muito bem isto tudo, Dr. Ginott. Agora há pouco me ocorreu algo em que ainda estou pensando. Me interessaria saber qual seria a reação do senhor nesse caso. Estou pensando na noite em que Marty, meu marido, levantou-se da poltrona para pegar uma bebida. Naquele minutinho em que ele se ausentou, meus dois filhos se precipitaram sobre a poltrona. Quando o Marty voltou, os meninos recusaram-se a devolver-lhe a cadeira. Não viam motivo para tal. 'Por que é que o papai tem de ter sempre a melhor cadeira? Só porque é mais velho? Isso não é justo! Os filhos também têm direitos!'

"Lembro-me de que fiquei pensando: 'Xii! Nisso até que eles estão certos. É realmente a única cadeira confortável.' Daí, ouvi a resposta do Marty, enquanto os enxotava da poltrona: 'Há certos privilégios que conquistamos com a idade. E, quando vocês se tornarem pais, também vão ter esses privilégios em relação aos seus filhos!' Os meninos limitaram-se a piscar. Daí, o Marty tornou a se instalar na cadeira e disse: 'E, se não conseguirem esses privilégios, vou lhes dizer o que fazer!' Ambos os meninos se inclinaram para a frente. 'Exijam!' disse o Marty, 'e terão!'

"Pareceu-me, na ocasião, que o Marty estava sendo um pouco duro com os meninos, mas agora não estou bem certa disso."

O Dr. Ginott perguntou: "Que é que você acha, agora?"

"Acho que talvez ele tenha feito afinal a coisa certa", respondeu Evelyn. "De acordo com o que o senhor tem dito, se o Marty deixasse que as crianças o fizessem sentir-se culpado por estar se sentando em sua própria poltrona, não teria sido bom para os meninos."

O Dr. Ginott assentiu. "Seu marido ensinou aos seus filhos uma lição valiosa. É importante entendermos, todos nós, que, na qualidade de pais, não devemos aos nossos filhos qualquer explicação quanto aos nossos atos. Isto não significa que os filhos não nos tentem apanhar numa resposta culposa. Mas é melhor seguirmos o exemplo do Marty e não mordermos a isca. Eles perguntam: 'Por que é que vocês vão sair de férias sozinhos? Por que não levam a gente?', ou, 'Por que a mamãe não volta a trabalhar? Daí a gente teria mais dinheiro.' Ou 'Por que você não me dá uma câmera nova? Você acaba de comprar um carro novo.'

"Não nos devemos lançar em explicações ou defesas – mesmo nesses momentos vulneráveis. Na qualidade de pais, temos de tomar certas decisões que representam nosso melhor discernimento adulto na ocasião. E o processo de tomar decisões não tem de ser, necessariamente, compartilhado com nossos filhos; nem devemos permitir a avaliação deles. Podemos dizer-lhes: 'Estou ouvindo. Mas não é da sua conta. Essas coisas são aqui com a Mamãe e Papai, nós é que decidimos.' Quando os pais são claros quanto aos seus direitos, quando sabem que a culpa é uma resposta inadequada, então eles ajudam seus filhos a reunir forças e apreender a realidade.

Durante todo o caminho para casa, fui pensando naquela sessão. Será que realmente fortalecemos a criança, por não compartilhar nossa culpa com ela? Lembrei-me de um incidente acontecido há muitos invernos atrás. Estava nevando e o David pediu-me que o levasse de carro até a escolinha, cinco quadras adiante. Mas estava sendo um bocado duro aprontar os dois menores, e por isso eu disse a ele que ia ter de se arranjar sozinho.

Mal ele saiu, o vento começou a uivar, e senti-me morta de culpa. Foi uma longa tarde para mim. A primeira coisa que ele disse ao voltar, foi: "Por que você não me levou, Mamãe? Cheguei atrasado. O vento me empurrava para trás. Tive de ir parando e me encostando nas árvores."

Quase morri ao ouvir isso. Queria pegá-lo no colo e dizer: "Coitadinho! Que mãe horrível você tem".

Mas não fiz nada disso. Eu disse: 'Poxa! Que aventura! Todos esses quarteirões, no meio da tempestade. E você agüentou bem, hein? Esse é o tipo de coisa que se podia esperar de Abe Lincoln, não de um menininho de seis anos!"

Na ocasião, fiquei encantada comigo mesma, porque o David pareceu tão orgulhoso. Vendo as coisas retrospectivamente, agora, tive uma nova visão do que realmente acontecera. Se eu tivesse transmitido a ele minha culpa, ele teria se sentido fraco, triste consigo mesmo e no controle da situação. Ao invés, apresentei-lhe minha admiração por ele ter lutado, e isso lhe disse que ele era forte; que podia agüentar situações duras.

Eu tinha tanta coisa em que pensar... Tantos conceitos estranhos sobre os quais ponderar e que devia tornar meus.

Capítulo XII
Raiva

1. A Besta Interior

Com um gesto, o Dr. Ginott designou a moça atraente que estava sentada à sua direita. "Senhoras", disse, "temos esta tarde uma convidada, a Sra. Bennett. É repórter de uma revista de circulação nacional e está pensando em escrever uma matéria sobre nós."

Pensei cá comigo: "Que lisonjeiro! E que presunçoso da parte dela! Olha só ela, sentada aí com esse arzinho frio e superior. Como poderia essa estranha total, totalmente desfamiliarizada com o nosso grupo, sentar-se aí, numa única sessão, e depois se pôr a escrever – provavelmente uns parágrafos cheios de frescura, todos arrumadinhos – sobre o trabalho que nós levamos anos para internalizar! Bom, esta tarde vai ser uma revelação para ela".

Todo mundo estava um pouco mais brilhante, um pouco mais esperto que de costume. Atacamos problemas que teriam embasbacado um Salomão. Até desencavamos algumas estorinhas interessantes do baú. Superamo-nos a nós mesmas.

Quando a sessão terminou, a Sra. Bennett agradeceu-nos educadamente. "Foi muito agradável", disse, "mas fiquei com a impressão de que o maior problema de vocês é dominar a própria raiva. É isso mesmo?"

Ficamos atônitas. Se, depois de tudo o que ela ouvira, aquele era o único comentário que lhe ocorria, então, obviamente, não tínhamos marcado um ponto. Diversas mulheres começaram a falar ao mesmo tempo:

Roslyn: Eu não diria isso! Quer dizer, a raiva é um problema nosso, mas certamente não é o maior.

Evelyn: É claro que estou falando apenas por mim, mas eu diria que a questão da rivalidade fraternal me grilou mais.

Helen levantou-se da cadeira, e, no seu jeito mais elegante de falar, disse: "Sra. Bennett, nós nos preocupamos, aqui, com uma ampla gama de emoções humanas. Agora, é claro que nunca é fácil a gente lidar com a própria raiva, mas é uma distorção pôr em evidência essa emoção específica e rotulá-la como nosso maior problema. Talvez, se a senhora viesse nos visitar outra vez, visse que a raiva é apenas uma pequena parte de um quadro muito mais amplo."

A Sra. Bennett murchou, diante de tanta verbosidade.

No caminho para casa, ficamos espantadas com sua impermeabilidade. Ela simplesmente não entendera. "É moça demais", concluímos. "Provavelmente nem tem filhos." E a varremos de nossos pensamentos.

Na semana seguinte, o telefone tocou enquanto eu estava me despedindo das crianças. Era a Helen. Estava com a voz cansada. "Eles já foram?"

"Por quê? O que há?" perguntei.

"Tudo aconteceu tão depressa", disse ela. "O Billy já estava para fora da porta quando notei que ele estava apenas de tênis. Mas ele esteve doente, de cama, a semana inteira, e ainda há lama e neve no chão. Senti um nó aqui, mas me controlei. Muito calmamente, eu disse, 'Billy, as botas.' E ele: 'Num precisa; isso é coisa de nenê.'

"De repente, lá estava eu rosnando com ele. 'Qu'é que há, hein? Você é burro, ou está deliberadamente tentando ficar doente de novo? Só porque algum idiota de uma série mais adiantada achou que as botas caíram de moda! Será que você já não perdeu aulas bastante neste inverno?'

"Joguei as botas aos pés dele. Ele berrou: 'Odeio você!', gritou com toda a força dos pulmões, e eu o esbofeteei. Ele deu um guincho: 'Minha orelha! Minha orelha!' E daí eu vi: a marca da minha mão, inteira, no rosto e na orelha dele."

"Oh, não", murmurei. (Meu pensamento reportou-se àquele terrível incidente entre mim e o David, na semana passada. Eu sentia urgência em contar o caso à Helen, mas algo me segurava).

"Espere, tem mais", disse ela. "Aí ele correu para o banheiro, olhou-se no espelho e gritou: 'Olha o que você fez! Vou mostrar pra todo mundo na escola o que você me fez!' "

Era demais. Rilhei os dentes e resolvi contar a ela. "Outro dia fiz algo ao David que também não dá para me orgulhar."

"Você bateu nele?" perguntou a Helen, esperançosa.

"Pior", disse eu. "Chamei-o de 'Rei dos Ratos.' "

"Já me sinto melhor", suspirou a Helen. "Pelo menos, não sou a única. E o que fez o David para merecer esse título?"

"Isso é que é estranho. Nem sei o que ele fez. Foi o que eu pensei que ele fez. Ouvi a voz do Andy, lá no banheiro, implorando: 'David, PÁRA!' Eu ia dando uma corrida até lá, mas aí resolvi: não vou interferir. Vou deixar que eles resolvam sozinhos o assunto. Daí ouvi o Andy de novo, só que dessa vez parecia que ele estava sendo estrangulado. E, por cima de tudo isso, aquele sem vergonha do David ria com gosto. Fiquei furiosa. Entrei no banheiro e agarrei-o pelo colarinho. 'Sabe o que você é?' gritei. 'Você é um rato. Você é o Rei dos Ratos! E sabe o que mais? Você não é meu filho. Por que a sua mãe deve ser uma ratazana!' Daí, empurrei-o para longe de mim. De repente, ele me pareceu tão abatido! Tenho me mortificado por causa disso, desde então. Não sei por que eu disse o que disse. Só sei que, naquela hora, eu não pude me conter. E isso foi o mais terrível. É como se fossem duas de mim. Uma, cuspindo todo o seu veneno, e a outra ali de pé, esperando, vendo tudo – como uma perfeita imbecil."

Helen ficou quieta por um instante. Daí, numa voz incrédula, disse: "Jan, você percebe o que nós dissemos? Dissemos que, com tudo o que sabemos, ainda não somos capazes de exercer nosso autocontrole, quando estamos com raiva. Eu bati na cara do Billy, hoje cedo, e, na semana passada, você praticamente deserdou o

David. E por quê? Só porque um não estava de botas? E por que o outro estava atazanando um irmão? Não sei... Estou começando a achar que na verdade não importa o que aprendemos no grupo, porque há um certo ponto em que tudo vai por água abaixo. E *ela* viu isso."

"Quem viu o quê?"

"Aquela jornalista. E ela pegou a coisa imediatamente. Sacou que não éramos capazes de lidar com nossos sentimentos de raiva. Mas ficamos ocupadas demais em dissuadi-la, para sequer considerar seu comentário. Se eu a encontrasse hoje, eu lhe diria: 'Sra. Bennett, a senhora é muito perspicaz. Na verdade nós temos um problema. Todas nós somos mães amorosas, estáveis, tarimbadas... até ficarmos com raiva. Daí, bum! Retiram-nos de repente todas as camadas de civilização e nos transformamos outra vez em Neandertais.' "

Acompanhei melancolicamente a linha de raciocínio da Helen. "Por que dar-nos tanto crédito assim? Nossas respostas provavelmente remontam a um estágio ainda anterior, na escala evolutiva. Li sobre uma experiência, uma vez, descrevendo as reações de ratos e macacos nos quais se estimulara a raiva. Os cientistas aplicavam-lhes choques elétricos, provocavam de vez em quando explosões sobre a cabeça deles e inventavam todo tipo de maneira de frustrá-los."

"E que aconteceu?", perguntou a Helen.

"Os coitadinhos voltaram-se uns contra os outros – batiam, arranhavam, mordiam, por vezes até à morte. Era como se, quando os bichinhos estavam suficientemente com raiva – suficientemente frustrados – ocorressem neles certas alterações fisiológicas que realmente tornassem gratificante para eles o ferir-se e destruir-se uns aos outros."

"Você está sugerindo", disse a Helen, "que quando nossos filhos nos deixam com raiva, agimos como animais? Que, de alguma forma, chegamos a atacá-los porque isso é fisiologicamente gratificante? Nesse caso, não há esperança para nós!"

Quando o grupo tornou a reunir-se, levamos ao Dr. Ginott os nossos pensamentos angustiantes. Ele demonstrou interesse, mas não pareceu perturbar-se. "É verdade", disse ele, "quando nos provocam, queremos atacar. Mas não somos macacos ou ratos. Somos seres humanos. E, como seres humanos que somos, temos uma escolha. Podemos optar por descobrir um jeito humano – uma maneira civilizada – de exprimir nossos sentimentos selvagens."

"Não é lá muito fácil", disse a Helen.

"Nunca é muito fácil ser humano", respondeu o Dr. Ginott. "É sempre uma luta. E sabe quando se pode descansar dessa luta? No dia em que a gente morre. Seria melhor nos acautelarmos contra aquilo que espreita dentro de cada um de nós. Devo proteger-me do homem que não reconhece seu próprio potencial de crueldade, lascívia e bestialidade."

Helen corou. "Eu conheço o meu potencial", ela disse. "Bati no Billy, a semana passada."

"Você coloca a coisa de um jeito!" riu-se a Katherine. "Faz-se parecer uma espécie de criminosa. E o que é que há de tão terrível em sentar a mão no traseiro das calças, na hora certa? Já descobri que isso pode fazer milagres."

"Katherine", disse o Dr. Ginott, "você descobriu algo que funciona para você – ótimo! Ainda estou esperando por outras respostas. Estou apenas bastante ciente de que é possível espancar uma criança para que ela obedeça. Mas não me iludo, nem por um momento. Sei que, a cada vez que eu espancar meu filho, estarei ensinando a ele: 'Quando você estiver com raiva, bata!' Infelizmente, nunca soube de uma criança que, tendo sido costumeiramente espancada, tivesse se tornado um ser humano mais amoroso."

"Acho que não fui suficientemente clara, Dr. Ginott", disse Helen. "Não dei só uma palmadinha no Billy. Entramos numa tremenda discussão, sobre ele usar ou não usar as botas, e a coisa terminou comigo esbofeteando-o. E a ironia de tudo foi que, um minuto antes que tudo acontecesse, eu estava dizendo a mim mesma: 'Não vou fazer um cavalo de batalha por uma coisa ridícula como um par de botas. Vou me controlar e falar calmamente.' "

O Dr. Ginott levantou as sobrancelhas. "E alguma vez já dissemos que pais devem falar calmamente, quando estão fervendo por dentro? A idéia não é a de sufocar a sua raiva, mas de liberá-la em pequenos estouros, *antes* que acabe havendo uma explosão. Tentar ser paciente, quando se está com raiva, é como pisar no freio com um pé, enquanto o outro pisa no acelerador. Não se maltrataria um carro, desse jeito. Seja pelo menos tão boa consigo mesma quanto você é com seu carro."

Evelyn sorriu de esguelha. "Fico pensando se não tem sido esse o meu mal – tentar ser paciente demais. Tudo o que eu sei é que, quando finalmente expludo... Bom, eu não bato, mas digo umas coisas, sim. E não sei se as coisas que eu digo não acabam machucando mais do que se eu batesse."

O Dr. Ginott concordou. "As palavras podem ferir mais que facas. Algumas podem até deixar cicatrizes permanentes. E é por isso que a *raiva sem insulto* continua a ser a nossa única alternativa civilizada para os métodos que desumanizam. E ainda não ouvimos todas as respostas. Demora uma vida toda para se aprender novas maneiras, e mais humanas, de exprimir a velha e poderosa emoção da raiva."

"Nesse caso", disse a Helen, "era melhor eu começar bem agora. Dr. Ginott, que tal se empregássemos o nosso tempo, hoje, ouvindo algumas das moças nos contarem sobre seus métodos particulares de reagir quando estão com raiva? Acho que isso podia me ajudar."

"Vou lhe falar de uma técnica que fez uma grande diferença em minha vida", disse lentamente a Nell. É como se eu estivesse vendo o Kenneth, jogando bola na sala de estar, e eu correndo atrás dele, explicando furiosa que as lâmpadas eram caras, que eu suava um bocado para ganhar dinheiro, e que esperava que, dessa vez, ele soubesse respeitar as minhas coisas. Mas nada do que eu dizia causava qualquer impressão nele, e, assim, achei que talvez eu não me estivesse explicando muito bem. Daí, um dia ouvi o Dr. Ginott dizer: *'Autoridade requer brevidade. Só os fracos se explicam.'*

Isso foi importante para mim. Na próxima vez em que peguei o Kenneth lá dentro, com a bola, eu disse com firmeza: 'Kenneth, o negócio é o seguinte: jogar bola é lá fora!' Ele deve ter ficado atônito com a mudança, porque apenas me olhou, bateu a bola mais uma vez e foi lá para fora."

Helen ouvia com grande interesse. "Gosto disso, disse ela, dispensar toda a perfumaria e ir direto ao ponto: 'O negócio é o seguinte...' "

"Sabe o que me ajudou, Helen", disse a Roslyn. "Eu costumava ameaçar as crianças toda vez que me deixavam com raiva. Daí, numa das nossas sessões aqui, falamos sobre oferecer escolhas em vez de ameaças. Fui para casa e tentei, e devo admitir que realmente faz diferença. Por exemplo, se vejo meus filhos jogando bola dentro de casa, digo: 'Te dou uma escolha: ou você vai jogar bola lá fora ou abre mão do privilégio. Resolva.' Não funciona sempre e sempre, mas é melhor do que dizer a eles que 'vão ver' quando o pai deles chegar."

Lee dava a impressão de mal estar se agüentando até que a Roslyn acabasse de falar. "Se você quer falar de raiva, Helen, talvez eu seja aqui a pessoa com mais experiência no assunto", disse ela. Ah, o meu pavio é muito curto, sabe? Meu marido diz que eu grito primeiro e penso depois. Mas estou mudando. Ainda grito, porque, bom, eu sou assim; mas agora, em vez de xingar os meninos em altos brados, grito a coisa que quero que eles lembrem.

"Logo depois da última tempestade de neve, por exemplo, vi meu menino mais velho jogando bolas de neve no menor, que, por acaso, estava a ponto de chorar. No meu velho estilo, eu teria gritado lá da porta: 'Pare já com isso, seu estúpido! Vá arranjar alguém do seu tamanho!' Só que, dessa vez, pensei com meus botões: 'Güenta a mão. Tenho de converter toda a minha raiva em algo útil. Você sabe, mais ou menos, como converter uma queda d'água em eletricidade. Muito bem, e o que é que quero fazê-los saber? E como dizê-lo de forma curta, de maneira que fique gravado na cabeça deles? Quando, por fim, tinha a frase na cabeça, abri a porta e gritei: 'Só se joga bola de neve quando a outra pessoa está de acordo!'

"Meu filho maior gritou de volta: 'Como assim?'

"Ora, quando os dois concordam', respondi.

" 'Bom, eu não concordo', disse o caçula.

" 'Muito bem, vamos parar, então', disse o mais velho. E assim foi."

"É uma conceitualização interessante, Lee", disse o Dr. Ginott. "É tão curto o tempo que a criança passa em casa, e ela tem tanto o que aprender antes de sair para o mundo. Não seria maravilhoso se os pais pudessem controlar a energia gerada por sua raiva, e usá-la – não para insultar – mas para dar aos seus filhos informações e valores?"

Passamos o resto da sessão conversando sobre outras maneiras de expressar proveitosamente nossa raiva. Quando saímos, eu estava entorpecida. Fiquei contente por Helen estar ao volante, às voltas com o trânsito da hora do *rush*. Deu-me muito o que pensar. Helen fora tão aberta, e eu não tinha falado uma vez sequer. Por que não? Porque ainda esta muito "machucada" pela minha briga com David? Porque as outras todas pareciam tão seguras de si?

O que estivera me roendo por dentro, durante toda aquela sessão? Era medo? O medo que sussurrava: "Não adianta. Você é de uma espécie totalmente diferente. Nenhuma técnica no mundo poderia tê-la livrado daquela disputa com David. A fúria que você sentiu contra ele, naquela manhã, não ia passar com um simples bate-boca. Nada poderia ter controlado aquela erupção venenosa. Existem algumas situações e algumas pessoas para as quais nada, mas *nada* funciona!"

Controle... Tentei lembrar o que o Dr. Ginott tinha dito sobre o controle. Será que eu tentara controlar-me demais? Teria feito alguma diferença, se eu não tivesse me segurado, aquela manhã, mas tivesse, ao invés, corrido para o banheiro ao primeiro grito do Andy e gritado? "Isso me deixa furiosa!"? E quanto à Helen? Teria feito alguma diferença, se ela não tivesse dito a si mesma para manter a calma com o Billy? Será que a terrível explosão podia realmente ser evitada, liberando-se rapidamente nossos sentimentos de raiva?

Mas a linguagem da raiva sem insulto não me ocorria rápida ou facilmente. (A linguagem do amor, sim. Eu nunca me embaraçava, quando se tratasse de elogiar ou fazer um agrado.) Será que era justamente aí que estava o "grilo"? Será que parte da minha raiva era causada não apenas por aquilo de que eu tinha raiva, mas também pela minha incapacidade em exprimir minha raiva? Poderia ser verdade que, se eu dispusesse das palavras inócuas de raiva, podendo comandá-las à vontade – com todas as sutilezas da raiva da ponta da língua – minha ira não tornaria jamais a transformar-se naquela substância incendiária? E, daí, eu não teria de sofrer nunca mais a culpa e a humilhação que decorrem de atacar-se o próprio filho?

Pela primeira vez naquele dia, respirei fundo. Eu disse à Helen que tínhamos trabalho a fazer na manhã seguinte. Tínhamos de achar um jeito de expressar, redigir e guardar de memória cinqüenta maneiras diferentes de exprimir toda a gama de nossos sentimentos de raiva. Se pudéssemos, simplesmente, adaptar a linguagem da cólera ao estado de espírito do momento, podíamos ser capazes de eliminar o horror da explosão... para sempre!

2. Adaptar a Mensagem ao Estado de Espírito

Na manhã seguinte, estávamos ocupadíssimas. Sentamo-nos à mesa da cozinha, munidas de lápis apontados e grandes blocos de impressos. Tínhamos uma meta bem definida: dominar a linguagem da raiva sem insulto.

Precisávamos de uma situação que despertasse a ira dos pais, no duro mesmo. Fixamo-nos no "Caso do Bichinho Negligenciado." Será que já teria existido um pai ou mãe, em qualquer lugar do mundo, que tivesse um dia comprado para o filho um bichinho de estimação, e, passada a primeira enxurrada de fogo de palha,– dar comida ao gato, levar o cachorro a passear ou limpar o aquário – não viesse a descobrir o que o interesse da criança tinha minguado ou desaparecido, e daí os pais, além de todas as suas outras obrigações diárias, haviam-se tornado também a única esperança de sobrevivência do animal?

Eu mesma tinha ficado algum tempo sem passar pela gaiola do canário, e, na semana passada, ao passar por ali, vi o pobre do canarinho, George, sentado num monte de penas da muda, bicando que nem doido o comedouro... vazio. Fiquei possessa. De dentes cerrados, disse aos meninos que eles eram cruéis, ordinários e irresponsáveis; que não mereciam ter um bichinho; que eu talvez "me esquecesse" de lhes dar o jantar, nessa noite, para que eles vissem como é que era ficar com fome.

Agora, na calma da minha cozinha, e sem a distração das crianças, Helen e eu íamos pôr no papel algumas outras possibilidades do que devia ter dito na ocasião. (Quase qualquer coisa representava um avanço em relação ao original). Juntas, íamos notar as gradações dos nossos sentimentos de cólera, desde uma leve irritação até à extrema agitação, adaptando-as a uma linguagem de "raiva sem insulto". Para dar forma e ordem aos nossos pensamentos, resolvemos adotar o seguinte modo: íamos descrever o estado de espírito dos pais, a mensagem do pai ou da mãe para si mesmo, e, a seguir, daríamos exemplos de linguagem que expressassem tanto o estado de espírito quanto a mensagem.

Eis o que escrevemos.

Para começar, suponhamos que o pai ou mãe (eu, neste caso) estivesse numa boa. Entra em casa na maior, e aí repara no canário negligenciado. Seu estado de espírito muda – ligeiramente.

ESTADO DE ESPÍRITO: Leve Chateação

Mensagem Interna

Crianças são crianças. Precisam, e vão continuar precisando, durante muitos anos ainda, de serem freqüentemente lembradas da mesma coisa. Faz parte do meu dever de pai orientar e lembrar.

LINGUAGEM

I. *O Gesto*

O gesto tem impacto imediato e dramático. Poupa também o pai ou a mãe do esforço do sermão.

a) Eu podia ter apontado significativamente para o comedouro vazio.

b) Podia ter retirado o comedouro da gaiola e tê-lo passado a uma das crianças.

II. *A Nota*

Uma nota pode se constituir numa forma poderosa de comunicação com a criança, especialmente quando vem assinada "Beijos, Mamãe."

a) EMERGÊNCIA!!! ENCONTRADO PASSARINHO EM HORRÍVEIS APUROS! QUEM VAI SALVÁ-LO????

b) Quebra-Cabeça: O que é o que é: Canta que nem passarinho, é amarelo, amarelinho, e precisa comer um pouquinho... Resolva e cuide do coitadinho...

c) (Menos explícito, mas igualmente eficaz): *O GEORGE PRECISA SER ALIMENTADO! JÁ!*

III. *A Simples Afirmação Descritiva*
Esta pertence à mesma categoria de "O Leite Derramado." Ao descrever, ao invés de comandar, convido a criança a assumir responsabilidades.
a) "Parece que o George está com fome."
b) "O George está bicando o comedouro vazio."

IV. *A Simples Afirmação Descritiva Repetida*
É uma verdadeira tentação, depois que nossa primeira afirmação foi ignorada, descambar para parágrafos de explicações e acusações. Mas, se mantiver a cabeça fria e tiver uma afirmação bem formulada, o pai ou mãe confiará nela, se agüentará um pouco, e daí, com calma deliberação, repetirá:
a) "Parece que o George está com fome."
b) "O George está bicando o comedouro vazio."

V. *Convite à Criança para que Ela Encontre a Solução*
Para se obter resultados duradouros, não há o que supere a eficiência do método de envolver a própria criança no processo de solução. Não importa quais as soluções que possam aparecer – há, pelo menos, uma boa possibilidade de sucesso, quando é o plano *deles* que está sendo posto em prática por *eles mesmos.*
As crianças assumem um compromisso interior, no sentido de ver que seu plano funciona mesmo. (Mesmo que não funcione, elas sempre podem fazer revisões posteriores.)
"Crianças, tem uma coisa que está me chateando. Preciso da ajuda de vocês. Quando o George veio para esta casa, ele era tratado regularmente. Agora, estou notando que, por causa da escola e das pressões práticas, ele tem ficado freqüentemente sem uma ou outra refeição. Vocês acham que conseguiriam arrumar um esquema de alimentação dele, com o qual todos vocês concordem, e me mostrar esse programa depois do jantar?" (Aqui, a chave do sucesso reside na frase mágica "com o qual vocês todos concordem".)

ESTADO DE ESPÍRITO: Irritável

Mensagem Interna

Isso está começando a me encher, assim era melhor eu me desfazer construtivamente de um pouco de minha irritação.

LINGUAGEM

I. *Uma Vigorosa Afirmação dos Meus Sentimentos*

Aqui, podemos empregar o básico "Estou com raiva," ou podemos, então, ampliá-lo e inovar.

a) "Acabo de passar pela gaiola do passarinho e fiquei estarrecida com o que vi!"

b) "Estou chateada e desapontada. Tem certas crianças que juram que vão tomar conta direitinho dos seus bichinhos, no entanto!..."

c) *(Esta afirmação poderia até mesmo ampliar o vocabulário deles.)* "Estou chateada, consternada, aborrecida e desapontada!" (Poder-se-ia acrescentar também "desalentada" e "desconcertada", mas seria exagerar na dose.)

II. *Uma Vigorosa Afirmação dos Meus Valores*

Já que estou erguendo a voz, posso aproveitar a ocasião para dizer algo digno de ser lembrado.

a) "Os bichinhos de estimação precisam ser tratados!"

b) "Quando um animalzinho depende da gente, não devemos deixá-lo à míngua!"

III. *Uma Vigorosa Afirmação de Minhas Expectativas*

a) "Espera-se que, nesta família, as crianças tomem conta de seus bichinhos."

b) "Tenho certeza que os meus filhos vão fazer o que for preciso para que os seus bichinhos não sofram."

IV. *A Exclamação de Três Palavras*

A exclamação de três palavras permite ao pai ou mãe que está com raiva ser curto e grosso, ao mesmo tempo que informa a criança de que ela pode imaginar o que precisa ser feito.

a) "David, o passarinho!"

b) "Jill, o alpiste!"

c) "Andy, o comedouro!"

ESTADO DE ESPÍRITO: Médio!

Quero sacudi-los, amedrontá-los um pouco.

Mensagem Interna

Eu gostaria de rosnar: "Olhem aqui, crianças, se vocês não forem tratar desse passarinho até eu contar até três, eu ______ ______! Mas não faço isso. (Sei que uma ameaça é, na verdade, um desafio irresistível às crianças no sentido de fazer o que foi proibido, ou para nos porem à prova, para ver se estamos falando sério. Recuso-me a cair nessa armadilha. Há outras maneiras de atingi-los.)

LINGUAGEM

I. *A Escolha*
"Crianças, vocês escolhem. Um: dão comida para o passarinho já. Dois: vão ter de se ver com uma mãe muito brava. E então? Como é que vai ser?"

II. *O Alerta*
"Olhem, crianças, vocês têm muita sorte. Pois eu lhes dou três minutos para encherem o comedouro de alpiste antes que eu já não consiga responder por mim."

III. *Como Substituir o "Assim que" pelo "Se vocês não"*
"Assim que o George for tratado convenientemente, podemos conversar sobre se vocês vão poder assistir a seu programa favorito de TV. Até lá, não estou disposta a dar grandes colheres de chá, tá?"

ESTADO DE ESPÍRITO: Fúria!

Após incontestáveis lembretes, o passarinho ainda não foi tratado. Quero punir, tirar a forra, machucar. O comedouro vazio tornou-se um símbolo da mochila escolar em que eu tropeçara ontem, da bicicleta que eu tivera de tirar da entrada de automóvel, no dia anterior, e de todos os brinquedos, sapatos e peças de quebra-cabeças que eu já tivera de recolher e guardar antes que me cansasse de pedir-lhes que o fizessem

Mensagem Interna

Vou desencadear a minha fúria, e ainda assim não vou causar dano a ninguém.

LINGUAGEM

I. *A Afirmação "Quando Eu"*

A tentação, quando se está em fúria, é começar-se uma frase com um sonoro "Você é um(a)______" ou simplesmente "Seu(sua)______", seguido duma torrente de invectivas. Neste caso, o que me pode salvar é um recurso puramente técnico, qual seja, o de começar minha frase com as palavras "Quando eu______", seguindo-se uma descrição daquilo que vejo e sinto. E deixa rolar!

a) "Quando tenho de pedir mil vezes para que vocês tratem de um pobre dum passarinho, e ainda assim vocês não me dão bola, fico furiosa! Agora eu mesma estou tratando dele – e estou uma arara por ter de fazer o trabalho que compete a vocês!"

b) "Quando vejo uma criatura indefesa sofrendo porque não ligaram para ela, fico uma fera! Tenho vontade de dar uns tapas em vocês todos, e de dar o coitado do passarinho para alguém que cuide dele direito. É bom vocês ficarem fora da minha vista por um bom tempo, porque não me responsabilizo pelo que eu venha a dizer ou fazer!"

Foi até aí que eu e a Helen conseguimos levar nosso exercício. Será que havia algo além disso? Uma forma sublimada de estrangular os filhos, nós não conhecíamos...

Relemos nossos papéis e gostamos do que havíamos escrito. A única questão que permanecia era: o que aconteceria num verdadeiro momento de raiva? Será que poderíamos, no calor da contenda, sair-nos com uma afirmação honesta, que realmente exprimisse nosso estado de espírito e ainda assim não causasse danos?

Veríamos.

3. Quando Palavras Não Surtem Efeito

Pedi permissão para dar início à sessão. Primeiro, descrevi os acontecimentos e sentimentos que nos haviam levado, a Helen e a mim, a pensar naquele trabalho que nos havíamos imposto; e, isso posto, li o que havíamos escrito. Quando terminei a leitura, o Dr. Ginott assentiu. "Janet, se uma das suas metas era o autocontrole, parece-me que vocês estão indo na direção certa. Quanto mais maneiras tenhamos de exprimir nossa raiva, melhores chances temos de manter nosso autocontrole. É quando tentamos refrear nossos sentimentos de raiva que corremos o perigo de uma explosão.

"Mas vocês conseguiram mais que isso. Vocês quase poderiam dizer que estiveram, ambas, fazendo uma obra de alquimistas. Vocês tomaram a base, a lesiva matéria da raiva, e a transformaram no ouro puro da linguagem que melhor se adequa à circunstância, sendo, na melhor das hipóteses, proveitosa; e, na pior, inócua apenas. E que riqueza e variedade estou ouvindo na expressão da raiva de vocês! As duas mostraram que os pais não precisam limitar-se às opções mais pobres de xingar e espancar."

"Não quero ser mesquinha", disse a Katherine, "mas só me parece que, se essa situação viesse a acontecer de verdade, na minha casa, e eu chegasse àquele último estágio da raiva, em que eu gritasse que tinha vontade de arrebentar a gaiola e dar o passarinho, e ainda assim meus filhos não tomassem conhecimento, eu ia me sentir como uma perfeita idiota."

"E com muita razão", disse o Dr. Ginott. "Não se deve deixar que determinadas situações se repitam sempre e sempre. É ruim para os pais e ruim para os filhos."

"Nunca antes eu pensei no caso dessa forma", disse a Evelyn. "Mas, se a coisa é verdadeira, o que então os pais podem fazer quando as palavras não surtem efeito?

"Eu algumas vezes já fiquei rouca com os meninos — dizendo inclusive as coisas certas. Exprimo meus sentimentos; descrevo o problema; tento compreender os sentimentos deles — mas, na metade das vezes, eles nem se dão ao trabalho de olhar pra mim. É como falar com as paredes. Não sei... às vezes acho que não tenho domínio sobre os meus próprios filhos. É mais como se eles mandassem em mim."

"E mandarão", respondeu o Dr. Ginott, "a menos que sintam que você está falando sério. Você sabe que é maior que eles. Não precisa aturar atitudes indesejáveis. Seria bom que os seus filhos soubessem que, por trás das suas palavras, há a disposição de tomar uma atitude."

Evelyn pareceu aturdida. "Mas, Dr. Ginott", protestou, "eu pensei que o senhor fosse contrário à punição."

"Está certo, Evelyn", disse ele. "E sou. Numa relação de amor, não cabe a punição. Imagine você se o seu marido a punisse por não ter aprontado o jantar na hora certa! Mas eu não falei em punição, falei em ação. A menos que a criança saiba que estamos preparados para tomar uma atitude no sentido de proteger nossos valores e revalidar nossas regras, nossas palavras não têm sentido. Se eu tivesse de dizer a uma criança: 'Jogar bola dentro de casa me chateia. Você pode jogar lá fora, ou parar com isso. Resolva.' eu deveria estar preparado para tomar-lhe a bola, se a brincadeira continuasse. E, ao tomar-lhe a bola, poderia dizer: 'Jommy, percebo que você decidiu.'

"Será que me fiz entender? Vocês percebem que minha intenção foi a de pôr um paradeiro ao comportamento indesejável da criança, ao mesmo tempo em que preservava sua dignidade? Reparem que não fui vingativo; não questionei o caráter da criança; nem sequer tentei ensinar-lhe uma lição. No entanto, tirando-lhe a bola, demonstrei, de forma dramática, que eu me levo a sério – que ele não devia ignorar meus sentimentos."

Evelyn parecia confusa. "Mas o que é que isso tem a ver com o problema de Janet? Suponha que ela realmente estivesse aborrecida com a história do passarinho. E suponha que ela tivesse realmente tentado todas aquelas coisas sobre as quais escreveu, e nada tivesse funcionado. Que atitude poderia ela tomar? Praticamente a única coisa a fazer seria dar o passarinho – e isso poderia ser cruel demais."

"Cruel para quem?" perguntou o Dr. Ginott. "A única crueldade, no caso, parece-me que seria a do pai ou mãe que se deixasse atormentar todos os dias pelo mesmo problema. Aqui, mais uma vez, o que importa é a nossa atitude. Não íamos dizer: 'Muito bem, vocês tiveram exatamente o que mereciam. Talvez agora aprendam!' Não. Mesmo nesta drástica instância de se dar o bichinho da criança, ainda podemos comunicá-la em termos de nossos sentimentos e de nossos valores, assim: 'Crianças, fico aborrecida demais por ver uma criaturinha sofrendo em minha casa. Quando me defrontei com a alternativa de ser uma mãe brava, se continuássemos com o bichinho, ou dá-lo a outra pessoa e ser uma mãe agradável... bom, vocês sabem o que preferi, né?'."

Obviamente descontente, Evelyn disse: "Suponha que eles chorassem, e continuassem a chorar. E daí?"

"Será que alguma vez já sugeri que, ao tomarmos uma atitude, as crianças devam aceitá-la graciosamente? Qualquer criança com sangue nas veias protestará e se queixará. E, quando o fizer, eu posso dizer: 'Você gostaria que pudéssemos ter conservado o canário, não é mesmo? Ele trouxe muita alegria à nossa casa. Mas ele precisa estar num lugar onde seja tratado direitinho.' "

Evelyn ainda não estava satisfeita. "Mas, suponha que eles pedissem uma nova oportunidade?"

"Outra oportunidade!" explodiu Katherine. "Já tiveram mil oportunidades!"

"As crianças podem ter mil oportunidades", disse o Dr. Ginott. "E sabe duma coisa?" sorriu ele. "Quando elas tiverem esgotado todas as mil... deve-se dar-lhes mais uma! Podemos dizer delicadamente às crianças: 'Não agora. Não é uma boa hora para falarmos de um outro canário. Daqui a um mês ou daqui a umas seis semanas, levantem o assunto de novo, e então vou ver como nos sentimos a respeito.' "

Evelyn pensou um pouco. "Do ponto de vista intelectual, posso aceitar tudo o que o senhor diz, mas, quando tento imaginar-me pondo isso em prática, percebo que não poderia. Posso imaginar a cena toda – meus filhos, histéricos e desolados, e eu, a madrasta má – a única responsável por fazê-los infelizes. É demais para mim."

"Evelyn, os pais não são responsáveis pela felicidade dos filhos, mas sim pelo caráter deles. Se nos ativermos apenas à felicidade dos nossos filhos, não lhes fazemos qualquer favor. Que espécie de valores estar-lhes-íamos passando, se permitíssemos a crueldade para com os animais? Você sabe que um Não também pode ser

uma resposta amorosa? Você sabia que, quando tomamos uma atitude no sentido de coibir um comportamento inaceitável, da parte da criança, estamos lhe prestando um serviço? Mais que isso, estamos mostrando a ela como ser o tipo de adulto capaz de se bater por aquilo em que acredita!"

Olhei ao redor da sala. Enquanto Evelyn agonizava, todo mundo escrevia furiosamente. Não conseguiam tomar nota de tudo, a uma velocidade suficiente.

Eu não escrevi nada. Minha cabeça fervilhava com novas idéias e velhas memórias. Anos atrás, antes de ter filhos, eu ficara arrasada ao ver uma mulher e seu filho, no Macy's. A mãe rosnava, mostrando os dentes.

"Você vai levar aquela jaqueta, goste ou não!"

O menino, pálido e desafiador: "Não vou não. Você não pode me obrigar."

"Ah, posso sim!"

"Não vou usar ela!"

As veias da mulher saltavam-lhe do pescoço. Seus olhos estreitaram-se. "Você está pedindo outro castigo, não é mesmo? Ainda não chega, né? Pois muito bem, vou lhe tirar a bicicleta. É isso que você quer? Acho que ainda não foi o bastante termos deixado você sem mesada e sem televisão!"

Aquilo estava gravado a fogo na minha memória. A cara do menino, cheia de ódio – os olhos despedindo chispas: "Vou me vingar de você". A mãe, babando de raiva – apanhada na teia de suas próprias palavras. Ela ia ter de cumprir ameaça por ameaça, ou seria uma mentirosa.

Eu jurara a mim mesma, naquela ocasião, que, quando tivesse filhos, castigos não fariam parte de nosso relacionamento. Eu jamais me deixaria sugar por aquele vórtice de crime e castigo – não importa como se sentisse tentada a tal. Talvez fosse por isso que eu me sentira impossibilitada de dar o passarinho! Mesmo no papel... Ter-me-ia parecido um castigo.

Agora, porém, o Dr. Ginott estava nos falando de um jeito que os pais podiam usar para tomar uma atitude muito séria, e, ainda assim, continuar do lado dos filhos. Podíamos tomar uma atitude, não com intuito punitivo, não para nos vingar dos nossos filhos, mas para coibir um comportamento que houvesse ido longe demais. Podíamos ser, ao mesmo tempo, enérgicos e carinhosos.

Eu descobrira algo muito importante – mas não sabia se poderia aplicá-lo. Escrevi no meu caderno: CASTIGO NÃO – ATITUDE SIM!

4. A Ação e seus Limites

Eu continuava esperando uma oportunidade de "pôr uma atitude em ação". As crianças não estavam nem um pouco cooperativas. Durante os próximos dias, mostraram-se excepcionalmente cordatas – até entre si. Mas não podiam continuar assim indefinidamente, e, uma tarde, a oportunidade bateu à minha porta – na verdade, bateu com força.

David estava infernizando a vida da Jill e do Andy – atanazando-os até às lágrimas. Fiz diversas tentativas no sentido de sensibilizar-lhe a má índole, e, quando tudo falhou, tomei uma atitude. Pareceu-me, também, a atitude mais acertada. Não uma ação punitiva, mas um tipo de ação firme e restritiva.

Gostei tanto da maneira pela qual me conduzi, que fiquei ansiosa para contar ao grupo, com todos os detalhes, o que tinha transpirado. Mas, no início da próxima sessão, quase todo mundo levantou a mão.

Helen sugeriu que seguíssemos uma ordem, por números, mas a Evelyn levantou-se e adiantou-se pedindo primazia para falar. Evelyn, que não tinha um gesto sequer que não fosse de hesitação – Evelyn, que já se autodescrevera, uma vez, sombriamente, como "uma banana" – Evelyn, cujo maior pavor era o de ser dura demais com os filhos, levantou-se e disse: "Eu fiz. Tomei uma atitude. Sou uma tigresa!"

Todas rimos. "Conte para a gente", disse o Dr. Ginott.

"Aconteceu no dia seguinte à nossa última reunião. Fui com os gêmeos à sapataria, que estava lotada. De repente, os dois meninos resolveram tirar um cabo de guerra com a fita métrica. Botei um paradeiro àquela brincadeira, e então eles começaram a brincar de pega-pega pela loja. Normalmente, eu teria sussurrado: "Estou embaraçada", e pedido ao vendedor que viesse depressa. Mas não dessa vez. Dessa vez, peguei cada um por um braço e disse com firmeza: "As pessoas aqui na loja não querem ser incomodadas! Agora, meninos, vocês escolham: Ou sentam quietinhos aí, ou vamos embora. Resolvam.' Eles ficaram comportados durante uns trinta segundos, e aí começaram tudo de novo. Não senti qualquer hesitação. Levantei-me, pus o casaco e disse: 'Percebo que vocês resolveram. Vamos embora.' E saí da loja. Eles correram atrás de mim, gritando e me puxando para trás. 'Mas você disse que ia nos comprar tênis novos!'

'É mesmo', respondi, eu vou comprar – quando vocês se dispuserem a esperar quietinhos.'

'Vamos esperar, bem quietinhos, agora', disseram em coro.

"Aí, Dr. Ginott, tomei emprestada uma frase sua. Eu disse: 'Não estou me sentindo emocionalmente hospitaleira, neste momento,' e me dirigi ao carro. Que é que vocês acham disso?"

"O que importa", disse o Dr. Ginott, "é o que você achou disso."

"Adorei", disse a Evelyn. "Me senti tão forte, tão... com tanto domínio da situação que nem os gritos deles me afetaram. Até nem me importei por ter de fazer outra viagem à sapataria, no fim de-semana."

Antes que qualquer das pessoas do grupo pudesse fazer um comentário sobre a metamorfose da Evelyn, a Helen anunciou: "Agora vocês vão ouvir o testemunho de outra mulher liberada, Evelyn, esta semana eu estive com você, em espírito. Na verdade, tenho meu relato por escrito."

E então leu:

Manhã de sexta-feira, 3 de novembro. Abro os olhos e penso nervosamente: "Será que hoje o Billy vai tomar o ônibus, ou será que vou ter de levá-lo à escola outra vez?" Embora toda manhã eu levantasse com a mesma coisa na cabeça, já sabia a resposta. O duro de tudo é que, daqui a uma hora, vou estar sentada atrás do volante, um casaco jogado sobre a camisola, de bobis na cabeça, morrendo de medo que a gasolina acabe ou que um guarda me pare.

No começo do ano letivo, pensei que talvez houvesse algo, na idéia de ir à escola, que estivesse levando o Billy a fazer cera. Mas, quando tivemos uma conversa, tudo pareceu ótimo. Ele estava feliz com os professores, com as matérias e tinha um montão de amigos.

Depois de tê-lo ouvido, falei dos meus sentimentos. Disse-lhe o quanto me desagradava ser uma mistura de despertador e chofer – e que eu gostaria que ele mesmo pensasse num plano para apanhar o ônibus na hora certa.

Durante alguns dias, depois disso, ele fez um esforço; mas daí, pouco a pouco, encontrei-me de novo na velha rotina.

"Billy, são 8:15. Seu ônibus sai às 8:30."

"Billy, são 8:20 já, e você ainda está descalço."

"Billy, quer que eu arrume a mochila para você? Você só tem cinco minutos."

"Billy, vou começar a subir pelas paredes! São 8:29 e você ainda está aí, brincando!"

"Billy, estou furiosa! O ônibus acaba de sair. Vamos de carro."

Helen deixou o papel por um instante. "Em nossa última sessão, Dr. Ginott, o senhor disse que determinadas situações não deveriam repetir-se sempre e sempre, que nós não devíamos deixar isso acontecer, porque é nocivo tanto para os pais quanto para os filhos. Ao ouvir isso, disse a mim mesma: 'Cheguei a uma situação dessas. Não apenas eu estou ficando louca, a cada manhã, como também o Billy está sendo privado das conseqüências naturais de se atrasar. A pontualidade dele tornara-se um problema meu, ao invés de ser problema *dele*.

"Ainda assim, porém, não via como é que o Billy ia conseguir ir à escola se eu não o levasse. Não é preciso ser uma supermãe pra se perceber que um quilômetro e tanto é um caminho longo para um garotinho. E há alguns cruzamentos perigosos. Discuti o problema com meu marido. Meio brincando, ele disse: 'Quem sabe você não devia pô-lo num táxi, da próxima vez que ele se comportar assim! E olhe, faça-o pagar da sua mesada.' Pode ser que o Jack estivesse brincando, mas a idéia me agradou."

Helen pegou o papel e continuou a ler: Naquela mesma noite, contei ao Billy que levá-lo à escola de carro me deixava tensa e irritada, e, assim sendo, eu não ia mais fazer isso. Se fosse para ele perder o ônibus novamente, podíamos chamar um táxi – e eu até pagaria a corrida – da primeira vez.

Ele ouviu, mas acho que não alcançou o sentido da coisa, pois só me disse: "Tá, tá, tá," e saiu da sala.

Na manhã seguinte, levantei-me sentindo um peso. Vi chegarem as 8:15, as 8:20 e as 8:29, e não estava sequer tentada a dizer ao Billy que o seu tempo estava se escoando. Lá pelas 8:35, o Billy finalmente levantou os olhos do gibi que estava lendo e deu uma olhada no relógio. E disse: "Êi, Manhê, perdi o ônibus. Você vai ter de me levar."

Daí, eu disse: "Billy, ontem eu disse que de agora em diante, no caso de você perder o ônibus, íamos chamar um táxi". Fui ao telefone, e, enquanto eu discava, ele puxou-me pelo braço. "Mas não quero ir sozinho de táxi!"

"Sth, entendo isso", eu disse.

Ele continuou a se lamuriar até o táxi chegar – mas foi. E, de lá pra cá, não se atrasou mais nem uma vez! Na verdade, outro dia cedo ele até estava me apressando. Ele dizia: "Você ainda não aprontou meu lanche. Não quero ter de pegar outra vez aquele táxi idiota."

Helen levantou os olhos de seu papel, subitamente um pouco insegura. "Vocês acham que tomei uma atitude rude demais? Mesmo que tenha funcionado? Minha irmã achou que foi mesquinho da minha parte."

"Enquanto ouvia você falar, Helen", disse o Dr. Ginott, "eu dizia a mim mesmo: 'Eis uma mãe que percebeu que corria o risco de se transformar num capacho, e encontrou a força necessária para virar a mesa. Ela descobriu uma solução criativa para proteger tanto a si mesma quanto ao seu filho."

Eu pensei: "É isso aí, não é? A menos que você tome uma atitude, toda a conversa do mundo se transforma num mero blá-blá-blá. A gente vira gato-e-sapato – útil às vezes, mas quem dá ouvidos a um gato-e-sapato?"

Em voz alta, eu disse: "Também tive uma experiência, quando percebi que não estava chegando a nada, com palavras, e fui finalmente forçada a tomar uma atitude. Só que tive de fazer a minha parte diante de uma platéia – minha vizinha do lado.

"Estava levando um papo furado com ela, na entrada do automóvel, quando o Andy veio ventando, e gritando: 'O David não vai me deixar ir no balanço. Ele disse que o papai comprou para ele.' Minha vizinha olhou-me duramente. Com muita calma, respondi: 'Diga ao David que a mamãe disse que, na nossa família, o balanço é de todo mundo.'

"Voltei-me novamente para minha vizinha. Ela continuou a contar, com detalhes tediosos, que o filho dela tinha entrado na Yale. Nisso apareceu a Jill, em lágrimas. 'O David me empurrou!' soluçava ela. Minha vizinha tornou a me olhar daquela maneira. ('Que ódio dela', pensei. 'O filho dela acaba de entrar na Yale e os meus filhos ainda estão ligados em balanços.')

"Pus um braço ao redor da Jill e disse: 'Você não gostou de ser empurrada, gostou? Pois diga ao David que a regra do jogo é esta: Não vale empurrar! Se ele está com raiva, que demonstre isso de outra forma, com palavras.' Por um momento, Jill parou de chorar e considerou minhas palavras; depois, voltou correndo para a brincadeira. Não demorou muito e lá estava outra vez o Andy, e dessa vez, chorando. 'O David me deu um murro', gemia ele.

"Fiquei furiosa. Que se dane a vizinha! Pouco me importa o que ela pense. Toda a raiva que eu já sentira por ser a perseguida, a caçulinha da família, ferveu lá dentro de mim. Eu tinha vontade de ir lá e bater naquele brutamontes até ele pedir clemência. VINGANÇA!!!

"Bom, era isso o que eu tinha vontade de fazer, mas qual era a novidade que eu ia tentar? – Algo no sentido de tomar uma atitude para pôr fim a um comportamento abusivo, sem assumir uma postura vingativa. E como seria isso, nesse caso? Como é que eu ia sequer conseguir pensar, com aquela mulher ali, me olhando?

"Me dá licença, sim?", disse eu, e fui lá para o balanço, e disse: 'David, vem cá!' Com a mão no ombro dele, dirigi-o para casa.

"Eu não bati nele *daquele* jeito, não", protestava o David.

"Para dentro!"

"Mas isso não está certo!"

"E quem tá falando do que tá certo?" respondi. "Estou falando dos meus sentimentos. Estou achando seriamente que você devia ser separado do seu irmão e da sua irmã, até encontrar melhores modos de brincar com eles, tá?"

"Bravos!" Exclamou a Evelyn, aprovadoramente. "Você não insultou o David, e no entanto defendeu os seus princípios. Talvez fosse isso o que nós todas estivéssemos procurando. Parece que funciona sempre – para todas nós."

"Devagar com o andor", disse o Dr. Ginott. "Embora eu concorde com a atitude da Jan, sempre vejo com ceticismo essa nossa tendência a encarar uma determinada técnica como panacéia. Raramente as relações humanas são simplistas. Me digam uma coisa, alguém já teve uma experiência assim? E cadê todas aquelas outras mãos que estavam levantadas, minutos atrás? Não nos deixemos intimidar pelos casos de sucesso. As dúvidas de vocês também são bem-vindas."

"Bom, detesto ser aquela que vai jogar água na fogueira", disse a Roslyn, "Mas acho que vocês têm de admitir que há certas situações em que os filhos nos têm no cabresto – em que não há atitude possível a ser tomada – e daí eles escapam impunes."

Algumas mulheres pediram exemplo.

"Bom, agora no domingo passado, a família estava se aprontando para ir visitar minha mãe, íamos jantar lá. Eu estava apressando todo mundo, porque a minha mãe fica muito aborrecida quando a gente se atrasa. Ela sempre serve o jantar pontualmente. E exatamente quando estávamos para sair, meu filho de seis anos resolveu tirar os sapatos. E nem pressões nem pressa conseguiram convencê-lo a pôr os sapatos de novo. Ele queria que Mamãe fizesse isso. Eu ainda nem estava vestida, por isso as outras crianças tentaram – mas ele chutava todo mundo. E, o tempo todo, meu marido estava sentado no carro, buzinando.

"Ah, eu queria tomar a atitude certa. Queria deixá-lo em casa. Mas onde é que eu ia achar uma babá às duas horas de uma tarde de domingo? E assim, terminei lá, de joelhos, pondo sapatos num menino que amarra os sapatos dele todo dia, para ir à escola."

"Você ilustrou muito bem a situação, Roslyn. Ao lidar com crianças, muitas vezes nos deparamos com situações na quais nossas opções são limitadas. Mas, se voltarmos aos princípios básicos, geralmente descobrimos que estamos pisando em terra firme. E um dos nossos princípios básicos é ser autêntico com as crianças. Juntamente com nossos serviços, podemos dar-lhes também nosso genuíno desprazer. Por exemplo: "Filho, não me agrada ter de pôr os sapatos em você, mas estou fazendo isso. E agora estou contrariada."

"Mas mesmo assim eu não estou sucumbindo a ele, dando-lhe, ainda assim, a vitória?" perguntou Roslyn.

"A criança logo descobre que uma vitória conquistada ao custo da boa vontade dos pais é uma vitória amarga", respondeu o Dr. Ginott. "A desaprovação da mãe pesa duramente sobre um filho.

Tira o sabor de tudo. A Vovó podia fazer para ele o seu bolo predileto, mas não lhe pareceria tão doce."

Seguiu-se um silêncio longo e pensativo. Daí, a Evelyn falou. "Bom, talvez", ela disse, "mas se eu estivesse nessa situação e oferecesse a um dos meus filhos meu assim chamado desprazer, a primeira coisa que ia sair da boca dele, era: 'Você não gosta de mim!' "

O Dr. Ginott fez uma cara de bravo, para uma criança imaginária. E disse em voz alta: "E não é hora de falar em gostar! Agora é hora mas é de pôr os sapatos. É hora de você saber que a Vovó não tem de ficar esperando! Mais tarde, no carro, podemos falar de gostar."

"Entendo", assentiu a Evelyn. "O senhor não deixa que ele o distraia ou o faça sentir-se culpado. O senhor se atém ao princípio de fazer o que tem de ser feito."

"Se estamos falando de como nos haver numa situação delicada", disse a Lee, "deixem-me dizer-lhes que sou grande partidária do trabalho de equipe. Quando vejo que não posso conseguir sozinha, eu peço uma mãozinha. Ontem à noite, por exemplo, o Jason estava tocando bateria e eu tentava aprontar o jantar. Pedi a ele que parasse de tocar até depois de termos comido, porque aquele som estava me chateando. 'Ah, tudo te chateia. Você está ficando velha. Compre uns tampões de ouvido.'

"Eu teria matado ele. Mas perguntei a mim mesma: 'Que atitude posso tomar? Tirar a bateria daqui? É muito pesada. Tirar o Jason? É pesado demais. Eu não sabia o que fazer. Naquele momento, o meu marido, bendito seja, veio ventando lá do quarto, agarrou as baquetas da bateria das mãos do Jason e berrou: 'Ouvi isso e não gostei! Sua mãe já disse. Depois da janta!' "

O Dr. Ginott sacudiu aprovativamente a cabeça. "Isso faz parte da missão do pai – proteger a esposa do abuso dos filhos. É uma outra maneira de dizer aos nossos filhos que não vamos ficar lá, sentados, e deixar que as pessoas que amamos sejam agredidas – física ou verbalmente."

Outro silêncio. Então Mary, que era novata no nosso grupo, levantou a mão. "Devo estar fazendo alguma coisa errada", disse ela. "Tomei uma atitude esta semana, mas parece que não funcionou. O Jody acaba de fazer quatro anos, e seus avós compraram-lhe um magnífico carro de bombeiros, pelo aniversário. Ele adora aquele brinquedo, de tal forma que acho que dormiria com ele, se o deixasse. O único problema é que o quarto dele está sendo levemente destruído. Não me importo com os riscos e arranhões, mas não admito buracos na parede. Ele acha o máximo tocar a campainha, colidir com a parede e berrar: 'FOGO!'

Normalmente, eu lhe teria dito que ele estava sendo um menino ruim, e o teria castigado, tirando-lhe o carro de bombeiros. Desta vez, porém, resolvi tentar usar algumas das coisas que venho aprendendo aqui. Assim, eu lhe disse: 'Jody, não gosto de buracos na parede. Você tem uma escolha importante a fazer. Pode guiar o seu carro de bombeiro e ficar longe das paredes, ou parar de guiar o carro de bombeiro aqui em casa. Pense um pouco e me conte o que você resolveu.'

"Jody imediatamente: 'Já sei. Quero guiar meu carro de bombeiro. Vou tomar cuidado.'

"E tomou – durante mais ou menos meia hora. 'É, funciona mesmo', pensei. E aí senti a parede tremer novamente. Fiquei tão doida, que disse a mim mesma: 'Esse menino vai aprender de uma vez por todas! É hora de tomar uma atitude.' Entrei no quarto dele e arranquei-o do banco, enquanto ele chutava e berrava. Daí levei o carrinho para meu quarto e tranquei a porta. Quando ele se acalmou, um pouco depois, disse, acusadoramente: 'Você pegou o meu carrinho. Não é teu. É meu.'

"Com muita calma, eu disse: 'Não gosto de buracos nas minhas paredes.' Agora, não havia nada de punitivo na forma como eu estava lidando com ele. Tomei a única atitude que achei que fosse detê-lo. Mas naquela noite, quando lhe devolvi o carrinho de bombeiro, ele começou tudo de novo. Já não sei mais o que fazer."

"Mary", suspirou o Dr. Ginott, "se soubéssemos o tipo de atitudes capazes de fazer a criança aprender de uma vez por todas", devíamos ralacioná-las numa lista, publicá-la e enviá-la aos pais do mundo inteiro. Mas não sabemos. Quando um pai ou mãe diz a si mesmo: 'Vou acabar com o comportamento inadequado dessa criança, de uma vez por todas', já está derrotado. As crianças não aprendem em termos de 'uma vez por todas'. Aprendem em termos de 'agora e daqui a pouco, e daqui a pouco outra vez'.

"Não pense, porém, que sua atitude não serviu para nada. Serviu, sim. E você pode experimentar outras. Talvez pudesse apresentar a ele, em termos de fantasia, aquilo que não lhe pode dar em termos de realidade. Você podia dizer: 'Jody, aposto que você gostaria de morar numa casa de paredes acolchoadas, para ficar batendo nelas com o carrinho de bombeiro sempre que quisesse.'

"E, se isso não der resultado, quem sabe um sinal de trânsito, pregado com tachinhas no quarto dele, dizendo REDUZA A VELOCIDADE – PAREDE À FRENTE, hein? Talvez isso o atinja." O Dr. Ginott deu um largo sorriso. "Veja, ele já terá uma vantagem de quatro palavras em seu vocabulário, em relação aos outros meninos, quando entrar no jardim da infância. Mas, o que é ainda melhor, você pode presentear o Jody com o problema, perguntando a ele que idéias *ele* é capaz de descobrir. E, se nenhuma destas sugestões funcionar, talvez seja melhor limitar-lhe o uso do carro de bombeiro para a parte externa da casa.

"O que estou tentando demonstrar é que a atitude não significa a 'solução final'. É uma medida temporária – apenas uma das muitas ferramentas em nossa oficina. Valiosa, sim; mas que não deve ser usada indiscriminadamente. Um carpinteiro não usa uma marreta numa tachinha, se a simples pressão do seu dedo pode fazer o serviço.

"Você percebe, Mary, que o foco da minha atenção não é a obediência, mas o *processo* pelo qual obtemos a cooperação da criança. Não seria preciso nenhum grande truque para manter o Jody afastado das paredes. Você podia bater nele, insultá-lo, castigá-lo, e ele nunca ia tocar nas suas paredes. Mas o que ia acontecer ao Jody, por dentro? Ele ia odiar a si mesmo, desejar que você morresse, e, por cima de tudo, ainda ia se sentir culpado por desejar isso. Eis por que minha preocupação constante é com a busca de alternativas humanas."

"Acho que compreendo o que o senhor está falando", disse a Katherine, numa voz solene. "Na verdade, eu até podia ter começado a vivenciar isso. Algo me aconteceu, na nossa última sessão. Tudo o que ouvi naquele dia de repente se encadeou e deu o clique na minha cabeça – o relatório da Jan e da Helen sobre a raiva, os comentários do senhor sobre a diferença entre castigo e atitude. Acho que pode ter representado uma mudança permanente no meu relacionamento com a Diane.

"Sei que não tenho falado muito sobre ela. Vocês já me ouviram falar principalmente sobre os meus filhos menores. E há uma razão para isso. Tenho sentido que o que aprendi aqui simplesmente não se aplica à Diane. Ela é tão desafiadora, tão rebelde. 'Não' é uma palavra que nada significa para ela. Faz suas próprias regras. Mesmo o pedido mais simples, mais razoável, recebe dela uma resposta desagradável.

"Recentemente, acho que porque ela é pré-adolescente, tem estado mais impossível que nunca. Ela me provoca tanto que, no fim, não tenho escolha senão castigá-la. E nada mais lhe causa impressão. Até mesmo o castigo só funciona com ela temporariamente. Nunca me senti bem a esse respeito. Era algo que ia contra tudo o que o senhor estava ensinando, mas meu marido é da velha escola, e não tem paciência comigo quando tento alguma das formas aprendidas aqui. Ele diz que eu dou muita trela a ela. Mas não dou. Já a castiguei mais vezes do que quero lembrar. E só porque nunca vi claramente outra alternativa.

"Mas, na última sessão, tive pleno sentido de um outro caminho, e mal sabia que, de alguma forma, eu seria diferente.

"Naquela mesma noite, Diane fez outra das suas. Ela tinha passado a tarde inteira no parque, patinando, e voltou para casa às sete da noite, cheia de desculpas. (Era a terceira vez em duas semanas.) Foi até muito bom que o pai dela não estivesse em casa. Ele ia dar-lhe uma dura.

'Ah, como eu queria consertá-la. Queria cortar-lhe todas as chamadas telefônicas e proibi-la de ver amigos de toda espécie durante este mês! Daí me veio à mente todo o quadro: Diane faz algo errado. Eu a castigo. Ela faz algo ainda pior para se vingar de mim. Eu a castigo mais duramente. Ela me dá o troco na mesma moeda. E assim indefinidamente!

"Usei de todos os meios para não cair de novo naquela velha rotina. 'Fiquei louca de preocupação!' eu gritei. 'Você sabe o que poderia acontecer a uma mocinha no parque, de noite? Faz duas horas que ando para cá e para lá nesta sala. Já estava me preparando para chamar a polícia!'

"Ela começou a apresentar desculpas, mas eu a fiz parar. 'Se você me vier com uma só desculpa, agora, isso só vai servir para me deixar mais brava. Talvez de manhã. De qualquer forma, fico feliz por você estar em casa. Agora, boa-noite!' E saí da sala... 'Isso talvez não pareça nada demais para vocês, mas para mim foi uma grande mudança.

"Meia hora depois ela veio correndo, como se nada tivesse acontecido. E disse, muito animada: 'Mamãe, estou precisando de uns bobis novos. A drogaria ainda está aberta. Será que você pode me levar até lá, de carro?'

"Pensei no pedido dela, por um instante. E aí sacudi a cabeça." 'Ah, mamãe!' disse ela, desconsolada. 'Por causa de hoje à noite? Isso é ridículo. Ninguém me atacou, atacou? O seu problema é que você faz tempestade em copo d'água.'

"Com muita calma, eu disse: 'O parque não é um lugar seguro, à noite.'

"Ela mudou completamente de expressão: 'Então, você está me castigando, certo? Suponho que você não vai deixar o Papai me levar, também.'

" 'O que o seu pai faz é da conta dele', respondi. 'Se ele quiser levá-la, não vou me opor... Mas eu não posso. Ainda estou com muita raiva.'

"Ela ainda me experimentou um pouco mais. 'Aposto que você não me deixava trazer uma amiga aqui, amanhã, deixava?'

" 'Uma coisa não tem nada a ver com a outra', eu disse. E estava disposta a deixar.

"Houve outros incidentes, também – e, a cada ocorrência, algo parecia mudar. Houve um ligeiro degelo, um relaxamento de hostilidades. Daí, um dia, aconteceu o pior. Ela tomou emprestados meus óculos escuros, e perdeu-os. Quando manifestei minha irritação, enfrentou-me, desafiante, e disse: 'Bom, você não vai me castigar? Que é que você vai me fazer, hein?' Foi quase como se ela estivesse pedindo para voltar ao velho estilo. No momento eu não soube o que dizer. As palavras vieram-me lentamente. 'Diane, quer me parecer que o que importa não é o castigo, mas sim que você compreenda o que estou sentindo. E é também muito importante que eu compreenda como você se sente. Eu me sinto muito aborrecida por você ter perdido meus óculos escuros, e acho que talvez você desejasse poder devolver-mos agora mesmo.'

"Ela me olhou de um jeito tão... Acho que a melhor maneira de descrevê-lo fosse 'amistoso'. Não sei o que vai acontecer daqui por diante, mas sei que não quero jamais voltar ao velho estilo outra vez."

"Katherine", disse o Dr. Ginott, "respeito a sua luta, do mais fundo do coração. Parece-me que você está pondo em prática muitos dos princípios dos quais temos falado aqui – e com uma filha que não se tem mostrado fácil de lidar.

"Você experimentou na própria pele a diferença entre o beco sem saída do castigo e a abertura constante de um relacionamento construído à base do respeito mútuo pelos sentimentos do outro."

Ele voltou-se para o grupo. "Vocês vêem, quando castigamos nossos filhos, nós os desviamos da tarefa de encarar-se a si mesmos. Há pessoas que dizem: 'Mas se a gente não os castigar, estaremos deixando-os escapar impunes.' A verdade é justamente o contrário. Quando castigamos uma criança, tornamos as coisas demasiado fáceis para ela. Ela sente que recebeu a paga pelo 'crime', e cumpriu a sentença. Agora, está em liberdade para repetir seu comportamento indesejável.

"Na realidade, que é que nós queremos de um filho que errou de alguma forma? Queremos que ele olhe para si mesmo, experimente certo desconforto, faça sua lição emocional e comece a assumir certa responsabilidade por sua própria vida."

Katherine ouviu e assentiu vigorosamente. "E há ainda uma coisinha que eu gostaria de mencionar. Acho que, quando os pais param de punir, de castigar, obtêm uma vantagem adicional também. Pela primeira vez, em anos, descobri que não estou me sentindo tão culpada em relação à Diane. Eu costumava comprar-lhe roupas extra, ou levá-la aos lugares, quando na verdade eu não queria fazer essas coisas – só para me redimir de ser tão dura com ela. Agora, sinto-me muito mais livre para dizer não, e acho que posso até dizê-lo sem ter de dar-lhe explicações."

Houve outro longo silêncio. "Eu... eu sinto certa relutância em dizer isto", disse a Nell, quase inaudivelmente. "Todo mundo está se saindo tão bem... Na verdade sou uma nota dissonante aqui... mas devo confessar que fracassei. O que quero dizer é que – tomei uma atitude, tomei sim – mas depois eu "afinei", na hora em que tinha de ficar firme."

Viramo-nos todas para Nell, respeitosamente. Sabíamos que esforço era, para ela, falar.

Ela continuou: "Tenho ficado tão chateada com o abuso de Kenneth em relação à televisão, que resolvi limitar o seu tempo de programas a uma hora por dia. Acho até que já é demais, mas o Kenneth se sente privado de algo, sempre dá um jeito de filar mais uns quinze ou vinte minutinhos – e isso me irrita. Já o repreendi por isso várias vezes, mas outro dia, quando entrei e descobri que ele tinha estado sentado em frente da televisão por quase três horas, cheguei à conclusão de que o tempo do diálogo terminara. A coisa tinha ido longe demais. De agora em diante, o regulamento de uma hora diária de TV ia ser estritamente observado.

"Na noite, seguinte, fiquei de olho nele. Marquei a hora direitinho. Quando o tempo terminou, entrei na sala e desliguei o aparelho.

" 'Acabou a televisão por hoje, Kenneth.'

" 'Mas, Manhê...'

"Repeti: 'Acabou a televisão por hoje.'

" 'Mas, Mãe', disse ele, em tom queixoso, 'hoje tem um Especial sobre baleias.'

" 'Ah, meu bem', pensei, 'a mesma história de sempre! Ele ia gostar de assistir a um programa sobre baleias, e eu também ia gostar de assisti-lo com ele. Mas eu tinha de ficar firme.'

"Olhei para a sua carinha desconsolada, e fiquei sem saber o que fazer. Daí me ouvi dizendo, 'Kenneth, não esqueci o que aconteceu ontem... Resolvi deixar você ver o programa hoje!' – E, sabem o que ele fez? Pegou minha mão e beijou-a."

"Me diga uma coisa, Nell", disse o Dr. Ginott, "e por que você acha que fracassou?"

"Bom, eu sabia que estava sendo incoerente. Suponho que o Kenneth já tenha percebido ou suposto que a mãe dele é uma pixote, e ele deve achar que pode se aproveitar de mim, na próxima vez."

"Com crianças, não temos nunca de nos preocupar com a próxima vez. *Somos nós* que determinamos o que nossos filhos podem ou não podem conseguir da próxima vez... A meu ver, Nell, você não falhou, não. Você achou que a necessidade de compartilhar com seu filho um belo momento era mais importante que a necessidade de ser coerente. Assim, você confiou na sua voz interior, e, quando prestamos atenção a essa voz, ao invés de nos atermos à norma rígida, geralmente não erramos muito. Raramente há uma vez em que não possamos demonstrar nossa humanidade dizendo: 'Mudei de idéia...' ou 'Reconsiderei...' ou 'Esta noite será uma exceção, vamos quebrar o regulamento.' "

Ouvi e pensei: "Sou uma privilegiada. Estou numa companhia rara: o Dr. Ginott, com sua resoluta insistência nas maneiras de humanizar, essas moças com sua determinação de não voltar atrás – mulheres que, em seus momentos mais críticos, recusam-se obstinadamente a bater, a punir, a ameaçar ou insultar."

Nada do que ouvi hoje pareceu típico ou sequer familiar. Em momento algum qualquer destas moças agiu vingativamente. ("Está chorando porque não conseguiu seu tênis? Ótimo! Fico contente. Talvez agora você tenha aprendido a lição!")

Em momento algum elas contaram seus casos em termos de 'olho por olho'. ("Você acha direito bater no seu irmão, David? Pois muito bem, agora você vai apanhar.')

Em momento algum qualquer delas se mostrou afetada. ("Jody, tirar-lhe o carrinho de bombeiro dói mais a mim do que a você.")

Em momento algum qualquer delas transformou a ofensa de um filho numa deficiência de caráter. ("Então, você perdeu meus óculos escuros, hein? Pois isso não é surpresa para mim. Você sempre foi relaxada.")

Em nenhum momento suas respostas foram excessivas. ("Você mesma causou isso a si própria, Diane. Por ter-se atrasado novamente, nada de patinação no gelo durante um mês.")

Em nenhum momento suas respostas foram irrelevantes. ("Por perder o ônibus da escola, Billy, você vai ficar sem a sua mesada.")

Ao invés de qualquer desses clichês nocivos e antiquados, ouvi delas uma linguagem honesta, hábil e construtiva – linguagem que lida apenas com o incidente específico no momento específico.

Ouvi falar do tipo de ação que detém o comportamento indesejável e, ao mesmo tempo, abre a possibilidade que a criança pode ter estado procurando. Mudança. Crescimento.

De repente, desejei muito ir para casa, para minha família.

5. E Ainda Explodimos

Eu sabia tanto, e estava contente por tudo o que sabia. Sem as minhas técnicas, a que me pudesse agarrar, mal se teria passado um dia sem que eu tivesse me afogado nas torrentes emocionais da minha vida familiar.

Tomemos uma manhã típica. Acordo com o zumbido amistoso do barbeador elétrico de Ted, de mistura com as vozes inocentes das crianças tagarelando entre si. "Sou uma mulher de sorte", penso. "Um marido amoroso... filhos lindos."

Ainda sonolenta, dirijo-me à cozinha e nem mesmo o som dos flocos de milho, estalando sob as minhas chinelas, consegue me abater. Por que me importar com isso? Com um cordial "Bom dia", passo a David a vassoura, a Jill a pazinha, e despejo o suco do Ted. E nem a visão de impressões digitais de geléia, na mesa, consegue me tirar do sério. "Rápido, Watson, apague a evidência antes que o Papai entre!" digo eu, entregando ao Andy uma esponja. Enquanto eles limpam, é uma gozação geral, e eu penso: "Que mãe! Que família encantadora nós somos! Que filhos! É uma pena que ninguém esteja nos vendo!"

Daí vem o primeiro empurrão – a primeira cotovelada – o primeiro xingamento – e, de repente, filhos parecem um pouco menos adoráveis.

Um segundo depois, uma luta de morte pela última banana – o horror de ver as entranhas se derramando – o suco do Ted derrama-se pela mesa, quando o cotovelo do vencedor derruba o copo.

Súbito, vejo-me explodindo em meio a outra cena, com um conjunto totalmente diverso de personagens. Num lapso de apenas quinze segundos, vi-me lançada no papel de mãe sitiada, com um marido irritado que está para entrar, resmungando por causa do café da manhã sem suco. E as crianças! Essas crianças horrorosas não passam de um bando de selvagens. A atmosfera que fazia do momento anterior algo tão vivo e amoroso desapareceu por completo. (Não consigo nem lembrar dela.) Em seu lugar vem um primitivo anseio de ATAQUE! Sinto uma espontânea urgência de juntar as cabeças deles e batê-las – mas sei aonde me levará a espontaneidade.

Agora é a hora da verdade. Já que a boa vontade foi para a cucuia, não me restam senão as minhas técnicas. E posso escolher entre uma porção delas: posso descrever o problema; ajudar as crianças a elaborarem sua própria solução; ditar uma regra; declarar minhas expectativas; afirmar meus valores; gritar minha indignação; redigir uma nota; propor escolhas; tomar uma atitude; etc. Sou rica em possibilidades.

E sou efetiva.

Quase que é bom demais para ser verdade.

Cresce em mim uma suspeita. Talvez se eu tivesse conseguido agüentar, eu não tivesse ficado novamente à mercê dessa emoção tirânica – talvez nunca mais me visse outra vez reduzida a uma histérica, gritona e beligerante. Eu teria vencido a raiva. Estaria, finalmente, livre!

De orelha em pé, assisti à ciranda dos dias, sem incidentes sérios. Para o que desse e viesse, lá estava eu. Em nossa próxima reunião, outras mulheres contaram que suas novas técnicas haviam, também na casa delas, reduzido dramaticamente as hostilidades. 'Achamos a resposta", pensei, triunfante. "Pasteur descobriu a vacina contra o antraz, Salk eliminou a pólio, e nós descobrimos a fórmula para erradicar a explosão familiar."

Permiti-me uma fantasia momentânea. Lá estava eu na Suécia, subindo ao pódio para receber – em nome do grupo – o primeiro Prêmio Nobel da Paz por eliminar a violência na família. Com zelo missionário, eu anunciava a uma seleta platéia que a fórmula era difícil, um pouco complicada, mas não impossível. Podia ser aprendida e posta em uso pelos pais de todo mundo. Quem sabe que implicações adviriam para a paz do mundo? Palmas... Aplausos delirantes!

A realidade veio de chofre, depois disso. Com aterrorizado espanto, vi como, uma a uma, caíamos de nosso estado de graça – cada uma num momento diferente – cada uma por uma diferente razão. Parecia haver certos eventos que temporariamente nos engolfavam a todas – determinadas situações que nos impeliam para além dos limites de nossas habilidades, para além da borda de nossa resistência, deixando-nos na fronteira da sanidade e naquela espécie de comportamento em que violávamos tudo em que acreditávamos e pelo qual estávamos trabalhando.

No carro, rumo à cidade, Helen me falou de sua prova de fogo. Com um ar sinistro, ela resmungou qualquer coisa sobre não saber por que estava se chateando em ir a uma reunião, uma vez que não era capaz de aplicar nada do que havia aprendido, afinal. Com relutância, falou dos acontecimentos dolorosos de uma manhã. Disse que, há muito tempo, vinha se preocupando cada vez mais com a fadiga constante de seu marido e o fato de ele dormir tarde. Nessa manhã, ele parecia tão cansado que ela de repente se viu exortando-o a mudar de emprego. Jack não recebeu de bom grado o conselho. Jack bateu a xícara e gritou: "Para o inferno! Você é uma chata, vê se sai da minha vida, depressa!" e saiu – deixando o café da manhã por terminar, lá na mesa.

Ela ainda não se havia refeito do golpe quando o Billy entrou na cozinha e abriu o sanduíche que ela acabara de preparar para ele. "Argh! Salsichão!" exclamou com desgosto. "Tá com aquele cheiro horrível outra vez! Você nunca me faz uma coisa que preste. Todas as outras mães fazem coisas gostosas para os filhos."

Helen disse que algo estalou dentro dela. "Não me fale das outras mães", disse ela num sussurro. "Se não está satisfeito comigo, arrume outra mãe. Não que alguém fosse querer você. E estou pouco me importando que você coma ou não coma. Eu devia fazê-lo ficar com fome!"

Billy jogou o sanduíche no chão, chutou a porta e foi para a escola chorando.

Helen disse que, depois, ela se sentou lá na cozinha, sozinha, olhando para o sanduíche jogado no chão, e ouvindo sua própria voz repetir incessantemente: "Não que alguém fosse querer você...", "E pouco me importa que você coma ou não coma." E a voz do Jack: "Vê se sai da minha vida, depressa". Disse que se sentiu como uma esposa chata, uma mãe carcomida – um fracasso total.

Noutra ocasião, Katherine, que tinha andado tão contente com o jeito que as coisas estavam tomando entre ela e a Diane, mostrou-se abatida ao contar-nos o que acontecera.

Disse que, nas últimas semanas, Diane tinha-se queixado amargamente de sua "horrível" professora de francês e dos professores que a "odiavam". Katherine ouvia-a com simpatia, durante algum tempo, e depois sugeriu que tudo talvez não passasse de imaginação dela. Por que iria alguém odiá-la? Mas lá no fundo havia a velha embreagem da ansiedade. Será que a Diane ia se tornar novamente problemática? Seria esse o início de um novo problema? Talvez a tarefa fosse realmente pesada demais para ela.

E então começaram a chegar da escola as advertências. Diane não estava "preparada" para a classe... "não prestava atenção"... "recusava-se a ser uma aluna aplicada."

Imediatamente, Katherine entrou em contato com a escola e marcou uma reunião com as duas professoras. Ambas asseguraram-lhe que sua filha era uma menina brilhante, mais do que capaz de fazer o trabalho. Sentindo-se um pouco melhor, Katherine foi para casa e contou a Diane que ela interpretara mal as coisas, o tempo todo. Na verdade, as professoras tinham dela um conceito bastante elevado. E que ela, agora, por favor, se aplicasse mais.

Um mês depois, veio o boletim. Diane não só ia indo mal em matemática e francês, como também uma nova queixa juntava-se agora às demais: "Ela 'mata' continuamente as aulas."

Katherine ficou furiosa. "Que vá para o inferno toda a psicologia", disse consigo mesma. "Venho-me treinando nessa história de dizer as palavras certas, para nada. Mas agora vou mostrar a ela, direitinho." Disse à Diane que ela era uma ingrata, que se aproveitava de duas professoras que estavam fazendo o que podiam para ajudá-la. Disse que tinha se sentido envergonhada por ter de ir à escola e dizer de quem era mãe. Disse que agora chegava de conversa, e que ela ia ter de se arrumar sozinha. Diane olhou-a friamente e saiu da sala.

Furiosa, Katherine continuou, gritando atrás dela: "E não pense que vai me dando as costas, assim! Você vai se arrepender por isso. Não pense, nem por um minuto, que vou deixar de contar tudo ao seu pai. E vá tirando o cavalinho da chuva quanto a convidar qualquer amiga sua para dormir aqui no mês que vem!"

A Katherine disse que, por um momento, sentiu que tinha justificativas para esse ataque. A própria Diane fora a causadora, não fora? Bom, quem sabe uma conversa um pouco mais dura, ali no pão-pão-queijo-queijo, viesse pôr-lhe um pouco de juízo na cabeça?

E daí vieram as terríveis pontadas de arrependimento.

"Que é que eu fiz? Em trinta segundos, abri a boca e desmanchei meses de penoso esforço para reconstruir um relacionamento."

Quanto a mim, ouvi as duas mulheres com um misto de compaixão e interesse clínico. Eu sentia que tivessem sofrido, mas era fácil perceber o que causara a coisa.

Parecia haver fatores contribuintes específicos para cada explosão. No primeiro caso, a ansiedade. Um incidente, ou uma série deles, ocorre e de repente eis que um pai ou mãe está nas garras do medo. É difícil ser habilidoso quando se está fora de si, por causa do medo.

É claro que, no caso de Katherine, sua ansiedade fora a causadora de tudo. Fora o medo de a filha estar se tornando um fiasco escolar que levara a Katherine a ignorar suas habilidades. A explosão final era quase inevitável. Em momento algum ela levou em consideração os sentimentos de Diane, e daí compôs o problema sugerindo que a menina se aplicasse mais – o que era um voto de não-confiança, se é que alguma vez houvera confiança. Ora, não havia grande probabilidade de mudança, com esse tipo de abordagem.

O segundo fator que poderia deflagrar uma explosão estava, muitas vezes, desassociado dos filhos, a não ser em menor escala. Uma tensão externa poderia provocar uma reação exteriorizada. No caso da Helen, fora a briga com Jack que a levara a atacar o filho.

Em circunstâncias normais, ela poderia ter tratado facilmente a queixa de Billy. Eu até podia ouvi-la dizendo: "Êi, não gosto de ser comparada às outras mães. Se você tem alguma queixa sobre o sanduíche, atenha-se ao caso do sanduíche!"

De certa forma, senti-me estranhamente invencível. Parecia-me que, mesmo sob pressões como essas, ansiedade, ou tensões externas, eu teria sabido o que fazer. Mas eu ainda não tinha chegado a um acordo quanto a uma terceira categoria de problemas: a reação de quase loucura àquele problema que persiste e nunca tem solução. Para Lee, era: "Ele tornou a perder o aparelho ortodôntico." No caso de Mary: "Ele tornou a sair na rua." E, no meu próprio caso, era: "Ele tornou a machucar o irmão."

Vi David jogar uma tesoura no Andy, e por um triz não acertou o olho dele. Fiquei temporariamente insana. Voei para cima do David e bati onde a mão acertou. Depois joguei-o na cama e gritei: "Mas o que é que você está tentando fazer, hein? Matar seu irmão? Cegá-lo? Ninguém está a salvo, quando você anda por perto. Seu monstro!" De repente, senti uma dor aguda no dedo. Estava inchado e azul. Eu devia ter rompido um vaso sanguíneo, batendo nele da maneira que batera.

Saí do quarto e fiquei lá, gelada. "Mas o qu'é que há comigo?' pensei. "Como é que fui me comportar dessa maneira? Sou menos que humana. Talvez o David me perdoe, mas como é que eu mesma vou me perdoar? E como sou hipócrita! Estou prontinha para mudar o mundo, mas não consigo mudar a mim mesma."

Assim, lá estávamos nós, nós todos, de volta ao velho buraco: ataque, remorso, culpa. Em total desespero, pensei comigo mesma: "Tudo isso para nada. Foi tudo um enorme desperdício – desperdício de tempo e energia. Tenho corrido, corrido, me enganado pensando que estou fazendo progresso, só para descobrir que voltei ao círculo vicioso – voltei às cobras e lagartos.

E como fui longe, tentando livrar-me deles! Escrevendo relatórios sobre bichinhos negligenciados, policiando-me nas palavras, analisando meus sentimentos, examinando minhas ações, analisando as reações dos outros. E tudo isso foi um tanto irritante.

Mas, pior que qualquer desses pensamentos era o meu medo. Eu temia ter causado um dano irreparável à auto-estima do meu filho; tinha medo que David nunca mais conseguisse realmente confiar em mim; e, embora eu desejasse, mais do que qualquer coisa, restabelecer nosso antigo relacionamento, temia não saber como fazê-lo.

Uma parte de mim desejava correr para o quarto de David e pedir-lhe que me perdoasse, mas outra parte queria meter na cabeça dele como era perigoso atirar objetos contundentes. Eu sabia que qualquer dessas idéias viria apenas tornar as coisas piores, de modo que, então, não fiz nada. Andei, andei, até a caixa do correio. No entanto, eu nem sequer tinha uma carta para pôr lá.

6. O Caminho de Volta

Enquanto caminhava, ia travando um diálogo interior.

"Mas por que foi que aconteceu?"

"Foi porque os irmãos brigaram."

"Mas por que é que o agressor é sempre o David?"

"Ele é ciumento. Ele me pareceu tão ressentido, ontem, quando entrou na sala e me viu abraçando o Andy. Será que foi por isso que ele correu atrás do irmão com a tesoura?"

"Vai ver que a coisa é mais simples que isso. Talvez o Andy o tenha provocado. Às vezes o Andy consegue ser bem chato."

"Mas o David devia ser capaz de agüentar melhor isso."

"Por quê?"

"Porque é maior e mais velho."

"E lá vem você outra vez, sempre se identificando com o bebezinho da família. Pense um pouco. Ponha-se no lugar dele. Como é que você ia se sentir, sendo o mais velho? Como é que ia se sentir, se fosse constantemente azucrinado por um irmão caçula, e a sua mãe sempre esperando que você fosse bonzinho com ele?"

"Ia ficar triste... com raiva da minha mãe... e ia me sentir amarga em relação ao meu irmão. Ia querer feri-lo."

"E suponha que, finalmente, você o ferisse, e sua mãe pegasse você? Suponha que ela te chamasse de monstro e te batesse?"

"Muito bem, muito bem, cheguei ao ponto. Mas e daí? O que é que eu vou fazer agora? O que é que eu posso fazer?"

"Que é que você quer dizer com esse 'O que é que eu posso fazer?' E quanto ao David? Qual a responsabilidade dele nisso tudo, hein? Ele jogou a tesoura. É ele quem tem de enfrentar as conseqüências dessa atitude. E você é quem tem de providenciar para que ele o faça."

Senti voltar minha força. Eu podia voltar para o meu filho, agora. Eu não sabia exatamente o que ia dizer, mas isso não tinha importância. Meu caminho estava claro: eu ia ouvir cuidadosamente o David. Depois, ia afirmar meus próprios valores, firmemente – furiosamente, se preciso fosse. Mas não haveria insultos, e nem desculpas servis.

Em casa, de volta do meu passeio, bati à porta do quarto de David. Não houve resposta. Empurrei-a e vi David deitado, com o rosto escondido. Sentei-me ao lado dele. "Pode me ouvir agora, David?"

Ele produziu um som diminuto.

"Acho que o que aconteceu hoje feriu muito você – por dentro, tanto quanto por fora."

"Você não tinha de me bater", murmurou ele, no travesseiro. "Podia só ter falado."

"É, isso teria sido melhor."

"Então, por que você me bateu?"

"Acho que você sabe, David. Acho que sabe que o que aconteceu me tirou do sério."

"Bom, o Andy me tira do sério."

"Você sente que ele vai longe demais – que ele às vezes azucrina você, e azucrina, e azucrina, até te deixar com raiva."

"É isso aí! É isso que ele faz! E então, o que é que você acha que eu devo fazer? Ficar lá, feito um joão-bobo, enquanto aquele metido vai meter o nariz nas minhas gavetas?"

"É, isso pode ser bem chato, o seu irmãozinho fuçando nas suas gavetas."

"Tá brincando, é? Você sempre me pede para falar para ele, com modos, como isso me irrita. Mas a coisa não funciona sempre. A única coisa que vai fazer ele parar de se meter é um murro na goela."

"David, é nisso que discordamos. Posso entender que você tente deter o Andy – até com as mãos, se necessário – mas, violência? Um murro na goela? Jogar a tesoura? Ah, não!" Levantei-me da cama e curvei-me sobre ele. "Na nossa casa é proibido machucar alguém. Terminantemente proibido! CRIANÇA ALGUMA PODE MACHUCAR OUTRA CRIANÇA!"

David tornou a esconder o rosto no travesseiro. "Você não gosta de mim", murmurou.

Fui inflexível."Gosto de você e me preocupo com você! Me preocupo com o tipo de pessoa que você é! Espero resolver as suas diferenças com seu irmão, sem violência. E, se algum dia você pensar no caso e descobrir soluções pacíficas, venha contar para mim e para o papai, e nós vamos ajudar você."

David pôs-se de costas e me encarou. "Isso não é bom. Você sempre toma o partido do Andy. Você gosta mais dele."

"É assim que parece a você?"

"Não é assim que parece, é assim que é."

Pensei durante muito tempo. Daí, disse devagar: "Vou-lhe contar como é que parece a mim. Parece-me que cada um dos meus filhos é diferente e absolutamente insubstituível. Acho que é por isso que amo cada um deles, não igualmente, mas de maneira diferente. Por exemplo, quem mais, no mundo inteiro, se parece com meu filho David, tem o seu sorriso, suas idéias, seus sentimentos – ou as suas sardas?"

David pareceu gostar, mas tentou não demonstrá-lo. E perguntou com desdém: "Quem gosta de sardas?"

"Eu gosto. Porque fazem parte de você."

E foi tudo. Pronto, acabara. E era bom ser, mais uma vez, a equilibrada mãe de David.

A tentativa da Helen, no sentido de restabelecer um melhor relacionamento, teve certa semelhança com a minha. Depois do remorso inicial, sua grande preocupação era se ela ia ou não conseguir juntar de novo as peças.

Aparentemente, custara-lhe muito, aquele dia, no carro, desabafar sem fazer com que eu a avaliassse ou lhe dissesse o que fazer.

Ela disse que quando chegou em casa naquela tarde teve o impulso de ligar imediatamente para o Jack e botar as coisas no lugar, mas depois mudou de idéia. Já tinha havido muita conversa, pensou ela. O que Jack realmente precisava era que não o pressionassem tanto. À noite, ela ajudaria as crianças nas lições de casa e levaria as crianças para dormir.

Pensando nisso, chamou Billy ao seu quarto. Ele entrou estupidamente.

"Billy, estive pensando um bocado sobre o que aconteceu hoje de manhã. Ficamos com muita raiva um do outro, né?"

"Você gritou comigo", disse o Billy.

"É, eu sei. Mas acho que talvez nós dois tenhamos aprendido alguma coisa. Eu descobri que o meu filho não gosta de sanduíche de salsichão e você descobriu que sua mãe explode quando falam com ela de um certo jeito."

"E o que foi que eu disse que foi tão ruim?"

"Billy, quando se quer conseguir algo de alguém, uma tática é não atacar essa pessoa; é uma boa tática pedir de um jeito que possibilite à outra pessoa ouvir."

Billy não estava convencido. "Então, como é que você quer que eu diga? 'Por favor, querida mãe, beijo vossos pés e encarecidamente peço, não me faça mais sanduíches de salsichão, ó Majestade Real.' "

Helen sorriu. "Bom, essa é uma possibilidade. Outra é: 'Mamãe, será você podia me fazer outro tipo de sanduíche? Já estou cansado destes.' Quando falam comigo desse jeito, Billy, sinto-me disposta a colaborar." Billy mascou pensativamente um pedaço solto da unha. "Bom, não vou querer estar sempre dizendo o que você quer que eu diga."

"Entendo", disse a Helen, momentaneamente vencida. "Então você pode querer talvez escrever um bilhete com sugestões específicas."

"Não", disse ele, "bilhetes são idiotas. Vou sair agora, Mamãe. O Jimmy tá me esperando."

"Bem", pensou Helen, "realmente nessa eu dancei. Mas, pelo menos, estamos outra vez conversando. E quem sabe da próxima vez ele pense um pouco em como pedir o que deseja."

Na manhã seguinte, ela ficou encantada ao descobrir, sobre a escrivaninha, um velho pedaço de cartão, no qual estava escrito um cardápio semanal:

Segunda-feira – atum
Terça-feira – geléia
Quarta-feira – atum
Quinta-feira – geléia
Sexta-feira – salsichão, só se não tiver atum

Na semana seguinte, Katherine descreveu sua reação à explosão que tivera com a Diane. Disse que, durante horas, ela ficara perturbada demais para funcionar normalmente. Ficou pensando: "Tornei-me outra vez a inimiga. Com tudo o que temos aprendido, e com tudo o que sei, empurrei-nos a ambas, novamente, para a velha rotina sem saída do castigo. Agora Diane pode entregar-se completamente e atribuir tudo à sua 'mãe cruel'. E ela teria razão. Só que não é porque eu seja cruel, mas sim surda.

"Por que estou me acusando? Então eu não fui a mãe perfeita, dando a resposta perfeita. Mas será que os filhos não têm uma parcela de responsabilidade pelas suas ações? Não sou eu que 'mata' as aulas. É a Diane... O que diria o Dr. Ginott? Acho que ele ia dizer que não é de castigo que ela precisa. Acho que ele diria que ela precisa de uma mãe que fique ao *lado dela,* e não *con-*

tra ela – enquanto ela luta para descobrir suas próprias soluções!... Não sei se posso fazer isso. Não sei se tenho a habilidade ou a força para tanto."

Pouco a pouco, Katherine começou a pensar em todas as queixas de Diane com relação à escola. Quem sabe os seus sentimentos negativos não tivessem sido negados?... Se ela achava que os professores a odiavam, provavelmente houvesse alguma coisa nesse sentido. E, ainda que assim fosse, seus sentimentos ainda precisavam ser ouvidos.

Mas, e o outro lado da história? Diane estava indo mal em duas matérias, e usando suas "professoras horrorosas" como desculpa para o seu fiasco. Tinha de ficar bem claro que essa não era uma maneira aceitável de lidar com o problema.

Então, Katherine lembrou-se que a escola mantinha um programa de acompanhamento, a uma taxa mínima. Uma criança da vizinhança utilizara esse serviço, com excelentes resultados. Essa podia ser exatamente a resposta para Diane; um aluno do colegial, amistoso, com quem ela se sentisse à vontade, um jovem responsável, que pudesse até servir de inspiração para ela.

Katherine começou a sentir-se melhor.

Mentalmente, formulou um esboço por alto das áreas que queria cobrir. Primeiro, ia exprimir seus honestos sentimentos, só que, dessa vez, ia deixar de lado os insultos.

"Quando vi aquele boletim, fiquei tão chocada, tão desapontada, e tão doida que acabei perdendo as estribeiras. Eu disse algumas coisas que nem queria dizer. Mas agora já passou."

Em segundo lugar, ia dar a Diane tempo de sobra para que ela arejasse seus pensamentos. Conscienciosamente, ouviria os sentimentos de Diane e refletiria sobre eles.

"Não é fácil estudar com professores que a gente acha que não gostam da gente – principalmente em matérias difíceis como francês e matemática."

Ia tentar seriamente não intervir em qualquer outra coisa que Diane quisesse ventilar. Era bem possível que houvesse outros fatores que viessem à tona, se ela ouvisse a filha de mente aberta.

Em terceiro lugar, Katherine ia trabalhar com a Diane para descobrir soluções para o problema.

"Diane, você tem de passar nessas matérias. Agora, *como* é que você vai conseguir isso, é lá com você."

Talvez elas pudessem, juntas, explorar as possibilidades. Talvez algumas sugestões, na hora certa, viessem ajudar.

"O que você acharia se eu fosse falar com a sua orientadora, hein?", ou, "Quem sabe você gostasse de usar o serviço de acompanhamento lá da escola, hein?"

Katherine disse que começou a ver mais claramente qual era o seu papel. Era dar apoio à filha enquanto esta tentava encontrar respostas por si mesma.

Quando ela finalmente falou com a Diane, disse que as verdadeiras palavras saíram-lhe quase tão suavemente quanto as que mentalmente antevira, mas as idéias, no geral, eram as mesmas. Diane não teve muito o que dizer, até que se ventilou o assunto do monitor. Daí, ela abanou a cabeça.

"Não preciso de monitor, Mamãe", disse. "Na minha classe tem uma menina que tira notas altas. Ela pode me ajudar e isso não vai custar nada."

Disse a Katherine que, por um momento, sentiu-se tentada a argumentar, a defender a idéia do monitor – mas conteve a língua. Ao invés disso, ela disse: "Então, você está pensando em cuidar de si mesma, não é? Estou percebendo". Aí, impulsivamente, colocou o braço em volta da filha.

Durante muito tempo, eu remoera o assunto da raiva.

Como um velho buldogue, ficara meses roendo o mesmo osso, farejando cada pedacinho dele, virando-o e revirando-o, raspando as bordas dele para aproveitar até o último bocadinho de tutano.

Agora, podia deixá-lo descansar. De certa forma, nossas três experiências, reunidas na ordem em que se haviam reunido – a de Katherine, a de Helen e a minha própria – diziam-me o que eu viera a descobrir: *Não preciso ter tanto medo da minha raiva. Ela não destruiria ninguém. Mesmo que eu perdesse totalmente o controle, nem tudo estaria perdido. Haveria um caminho de volta.*

Que alívio! Eu já não iria cair no ramerrão da culpa e desespero. Poderia escapar, mover-me, ir à frente. Eu dispunha de meios de socorro.

Todo um novo conjunto de mensagens internas se revolvia dentro de mim. Depois da próxima explosão, eu ia tentar lembrar-me de dizer a mim mesma:

"Não é o fim do mundo. Qualquer um pode violar seus próprios padrões de comportamento – se for suficientemente provocado. Não seja tão dura consigo mesma. Nada mais de orgias de autocondenação. Um pouco da culpa você pode usá-la – para incentivar-se a operar mudanças. O resto, jogue-o fora, ou ele irá puxá-la para baixo – paralisar você."

Eu diria a mim mesma: "Meu colapso temporário não me define. Não diz quem sou eu. Sou aquilo que eu escolher. Estou ainda em processo de transformação, ainda não terminei. O que aconteceu foi aborrecido – condenável – mas muito mais importante é a maneira como me conduzirei daqui por diante."

Eu diria a mim mesma: "Não entre em pânico, por não conseguir imaginar como fazer os reparos imediatamente. Dê tempo a si mesma – tempo para ficar sozinha com todos os seus sentimentos miseráveis. Tempo para não ter respostas. Tempo para viver com a incerteza. Não há atalhos. Só depois que você se der tempo, vai poder começar a pensar em termos de ser novamente útil. E que leve o tempo que levar."

Daí, quando as emoções dolorosas e confusas tiverem se acalmado um pouco, tentarei pensar construtivamente. Perguntarei a mim mesma se algo pode ser salvo em meio à balbúrdia geral. Será que existe uma nova visão, enterrada nos escombros, que eu possa resgatar e usar para o futuro? Há mudanças que devo fazer? Há mudanças que *meu filho* tenha de fazer? Será que posso encontrar sozinha o que estou procurando, ou preciso do auxílio de outra voz, de outro ouvido?

E, se eu descobrir uma verdade útil, pensarei numa forma de afirmá-la simplesmente, de maneira breve, sem censurar ou fazer sermões de moral. Usarei a linguagem da empatia, a linguagem que descreve, a linguagem que aponta uma nova direção, a linguagem que cura.

Meu sentimento de calma era tão total que me foi difícil acreditar que eu outrora fora tão agitada. Mas de que eu tivera tanto medo? Por que eu não conseguiria ser menos formal, o tempo todo? Com muita freqüência, eu ouvira pessoas dizerem: "Aí perdi as estribeiras. E então bati nele e lhe disse que ele era um idiota. E daí? Ele sabe que eu não quero dizer isso. De qualquer maneira, desanuviou o ambiente. Depois que passou, esquece-se. Não é nenhum bicho de sete cabeças."

Mas *foi* um bicho de sete cabeças. Meu medo justificava-se. O mal causado pela raiva incontrolada nunca foi pequeno. Vi, por mim mesma, como uma série de explosões podiam deitar por terra até mesmo o melhor dos relacionamentos, enfraquecendo-o e tornando-o vulnerável. Eu tinha visto como coisas odiosas, uma vez ditas e perpetradas, tornam-se parte de um acervo de memórias ofensivas – memórias que podem empalidecer com o tempo, mas jamais desaparecem por completo.

Eu sabia agora que, de nossas explosões, podíamos emergir mais sábias, mas não ilesas. Haveria sempre algum dano – outro rasgão no tecido de nossas relações. Quase que o melhor que se poderia dizer do ataque súbito a um filho era que ele nos forçava a concentrar-nos numa situação que requeria atenção.

No princípio, eu tivera esperança de que, se estudasse a natureza da raiva, pudesse imunizar-me permanentemente contra meus próprios impulsos violentos. Isso pode ter sido um pouco de loucura, mas havia no meu trabalho tanta coisa notável, quase mágica, que acabei pensando: "Por que não? Por que eu não poderia levar a cabo este último milagre?"

Bom, eu não podia. E, quando pus os pés no chão, me conformei. Não ia haver nenhum Prêmio Nobel da Paz para mim, mas eu ganhara inúmeros pequenos prêmios – todos igualmente preciosos:

Aprendera muitas técnicas específicas nas quais poderia confiar.

Conseguira perceber que nem eu nem a minha família éramos tão frágeis quanto eu temera que fôssemos.

Eu fizera as pazes com a realidade, e a realidade era esta: eu jamais dominaria por completo minha raiva. A cada acesso de raiva, ela retornaria com renovada ferocidade. A cada vez eu me encontraria lutando por descobrir uma maneira civilizada de exprimir meus sentimentos selvagens.

O Dr. Ginott tinha razão. Era o trabalho de uma vida inteira.

Capítulo XIII

Novo Retrato de Pais

Ficamos contentes por ver a Evelyn de volta, outra vez sentada em seu lugar de costume. Ela perdera as últimas três sessões. O Dr. Ginott saudou-a calorosamente e indagou sobre a família dela.

Evelyn sorriu amarelo. "Acho que as crianças vão bem, mas meu marido não tem andado bem." E daí ela continuou, contando-nos que seu marido, o Marty, tivera um ataque do coração. Agora ele estava em casa, convalescendo, e os médicos estavam satisfeitos com seu progresso, mas estavam se apresentando outros problemas.

Parece que os meninos, depois do arrebatamento inicial de terem o pai em casa, de volta do hospital, tinham começado a queixar-se: "O Papai não é mais o mesmo. Ele já não luta com a gente, não nos leva para cama. Nem bêisebol ele joga conosco, mais!"

"Vocês podem imaginar como esse tipo de conversa deprime o Marty", disse Evelyn. "Acho que a dor do desapontamento dos filhos em relação a ele é pior do que o ataque do coração. Ele acha que já não é um pai de verdade para os filhos."

O Dr. Ginott ouviu com simpatia. "Evelyn, ser um pai de verdade não tem nada a ver com lutar ou jogar bêisebol. Conheço o quadro do Papai lá no parque, jogando com os filhos, e sei que é muito atraente. Mas qualquer um pode ensinar bêisebol. A tarefa de um pai é ajudar seu filho a sentir-se bem consigo mesmo."

"Sentir-se bem consigo mesmo?", repetiu a Evelyn, ansiosa.

O Dr. Ginott elaborou seu pensamento: "A tarefa mais importante do pai é ajudar seus filhos a gostarem de si mesmos – comunicar-lhes que eles são seres humanos lindos, dignos de respeito, que é um prazer conviver com eles, que são pessoas cujos sentimentos e idéias têm valor."

"Gostaria de ter comigo um gravador", suspirou a Evelyn. "Faria bem ao Marty ouvir que... Eu gostaria também de saber uma maneira de confortar um pouco os meninos. Toda essa experiência foi muito dura para eles. Ficaram terrivelmente perturbados quando o pai foi levado para o hospital, e, agora que o pai está em casa, há tantas restrições para eles... Já não podem trazer amigos para dormir. Têm até de andar na ponta dos pés pela casa e falar aos cochichos. Eles também não ficam felizes com isso."

O Dr. Ginott falou, com um traço de impaciência na voz. "Evelyn, será que é uma função dos pais manter os filhos felizes o tempo todo?"

"Não exatamente", protestou a Evelyn, "mas nenhuma mãe quer ver seus filhos com cara triste, ou chorando."

"Para mim", respondeu o Dr. Ginott, "o riso e as lágrimas de uma criança têm igual importância. Eu não quereria privar a criança de seu desapontamento, de sua tristeza ou dor. As emoções enobrecem o caráter. Quanto mais fundo sentimos, mais humanos nos tornamos."

Evelyn achou duro aceitar isso. "O senhor está dizendo que a infelicidade pode ser boa para as crianças?"

"Eu jamais planejaria a infelicidade. Mas, quando surgem problemas, eu os vejo como oportunidades para ensinar às crianças que eles podem se tornar parte da solução. Evelyn, o período de convalescença do seu marido pode ser, para os seus filhos, uma época de amadurecimento. Exigir-se-á deles mais consideração. Eles vão ter de assumir responsabilidades extra. E podem crescer a partir da experiência – desde que você não a polua."

Evelyn pareceu divertida. "Não sei se estou entendendo muito bem."

O Dr. Ginott nada disse.

Evelyn mordeu os lábios e olhou para o chão, de cenho franzido. Segundos depois, falou. "O senhor quer dizer que minha atitude para com os meninos pode fazer diferença?"

"Que é que você acha?"

"Acho", disse Evelyn desesperançadamente, "que tenho sentido por eles, e que isso os tem feito sentir por si mesmos". Outro silêncio. "Agora eu devia saber melhor! O senhor já disse uma centena de vezes que nossa tarefa não é fazer nossos filhos felizes, mas auxiliá-los a tornar-se mais humanos. Quantas vezes ainda será que vou ter de ouvir esse pensamento, antes que ele se torne parte de mim?"

O Dr. Ginott fez um gesto de resignação. "Quantas vezes é preciso que eu afine um violino, antes de ele ficar afinado?"

Por um momento, Evelyn olhou para ele sem compreender, depois sorriu palidamente. Outra mulher, que havia esperado impacientemente por uma "deixa", adiantou-se com seu problema. Mas não consegui concentrar-me na discussão que se seguiu. Havia-me tocado o que eu acabara de ouvir, e eu queria pensar um pouco mais a respeito... Evelyn viera à reunião com duas noções preconcebidas daquilo que um pai ou mãe devia ser — o pai que joga bola com os filhos, a mãe dedicada à felicidade dos filhos. Nenhuma dessas noções havia sido de qualquer utilidade a ela ou à sua família. E, hoje, ela iria embora com duas interpretações muito diferentes do papel dos pais, interpretações auspiciosas, que iriam servir melhor para todo mundo.

Ocorreu-me que todos nós, em certo sentido, fazemos uma espécie de aposta conosco mesmos. Temos em nossa cabeça um quadro preconcebido do que deve ser um bom pai ou mãe, e, daí, tentamos adaptar-nos a esse quadro. Quando nossos sentimentos ou nosso comportamento coincidem com nossa imagem interior, ficamos contentes, realizados. Quando não, tornamo-nos ansiosos, culpados, deprimidos. De alguma forma, sentimos ter falhado com nossos filhos e conosco próprios.

Olhei ao meu redor. Uma mulher estava conversando animadamente; outras estavam inclinadas para a frente, ouvindo com atenção; algumas outras escreviam em seus cadernos de notas. De repente, percebi que algo de muito importante tinha estado acontecendo nessa sala, nesses últimos cinco anos. Pouco a pouco, todas nós havíamos revisto nosso quadro interior do bom pai, da boa mãe. Mais do que revisto! Havíamos pintado um quadro inteiramente novo!

Não mais que de repente, deu-me uma grande vontade de ir lá para trás e olhar esse quadro como um todo. Especificamente, eu queria saber como ele diferia do quadro original, aquele com o qual começáramos. O Dr. Ginott acabara de mencionar algumas diferenças importantes. Quais eram as outras?

A primeira coisa que saltava à vista era a nossa atitude em relação à raiva.

Costumávamos pensar que um bom pai ou uma boa mãe fosse um pai ou mãe paciente – calmo, lógico. Alguém que nunca gritava.

Agora não sentimos necessidade de sufocar nossa raiva. Exprimimo-la plenamente, mas, ao invés de lançar insultos, lançamos nossos sentimentos, nossos valores, nossas expectativas.

Costumávamos pensar o que um bom pai ou uma boa mãe deviam estar sempre dispostos a "fazer" por seu filho – ajudá-lo nas lições de casa, responder-lhe a todas as perguntas, encontrar soluções para os problemas dele.

Agora sabemos que os pais às vezes "ajudam mais não ajudando – fazendo-se dispensáveis."

Costumávamos pensar que os pais têm de ser coerentes a todo custo.

Agora nos sentimos com maior liberdade para ter segundas idéias, mudar de idéia, viver mais em termos de nossos genuínos sentimentos do momento.

Sempre pensávamos que alguns dos nossos sentimentos negativos, considerando que éramos pais, não eram "bonitos", ou que fossem desarrazoados, e até mesmo vergonhosos.

Sabemos, agora, que sentimentos não são certos ou errados. Sentimentos *são.* O que importa é a maneira pela qual lidamos com aquilo que sentimos.

Até aí, gostei do quadro que vi. Era, certamente, menos oprimido, menos dominado pela culpa do que o antigo. Muito mais lisonjeiro para os pais. E os benefícios, eram tão grandes para os filhos?

Nunca pensamos que tivesse importância a maneira como falávamos com nossos filhos, contanto que eles soubessem que os amávamos. O que estava na nossa mente não estava na nossa língua.
Ainda damos valor à espontaneidade. Mas estamos agora cientes do enorme poder de nossas palavras, e tentamos separar o proveitoso do nocivo.

Nunca soubemos o que fazer com as emoções fortes de nossos filhos. Achávamos que devíamos abrandá-las ou ensinar as crianças a sentir de maneira diferente: "Não diga isso, meu bem. Lá no fundo do coração, você na verdade ama sua irmã".
Hoje, compreendemos que, quando reconhecemos os sentimentos da criança, conferimos-lhe saúde e força.

Sempre achamos que os pais deviam decidir o que era melhor para os filhos.
Agora, sabemos que cada vez que deixamos uma criança lançar-se ao complicado processo de tomar suas próprias decisões, estamos lhe dando uma experiência inestimável – por ora e para a sua futura independência.

Parecia-nos que era dever dos pais "mostrar ao filho o caminho certo", explicar por que alguns de seus esquemas eram tolos e irreais.

Hoje, compreendemos que o mundo exterior é rápido demais em cortar as asas, e que é um privilégio dos pais alimentar os sonhos de seus filhos.

Costumávamos achar que dizendo à criança o que está errado com ela, ela ia melhorar. Se a chamássemos de mentirosa, tornar-se-ia honesta; se a chamássemos de burra, viraria esperta; se a chamássemos de preguiçosa, tornar-se-ia industriosa.

Agora sabemos que a melhoria da criança baseia-se no ato de tratá-la como se ela *já fosse* aquilo que é capaz de tornar-se.

E essa era apenas uma lista parcial. Havia ainda muitas outras mudanças em conceito que afetavam diretamente nosso comportamento. Não estávamos mais castigando nossos filhos; não nos sentávamos mais na atitude do juiz, para julgá-los; ainda insistíamos, exigíamos e esperávamos deles, mas sempre de um modo que deixasse intacta a dignidade deles.

Dignidade! Esta a diferença básica entre o antigo e o novo retrato! O novo retrato conferia infinitamente mais dignidade, tanto aos pais quanto aos filhos.

Em espírito, voltei para junto dos meus próprios filhos. Será que eles estariam conscientes de todas as mudanças que eu tinha implantado em benefício deles? Será que eles poderiam mesmo começar a apreciar como fora duro para mim romper com os velhos padrões e estruturar novos modelos?

Pensei em minha conversa com Jill, ontem. Ela estivera irritadiça durante toda a noite. Na hora de dormir, sentei-me na sua cama e ouvi-a desabafar problema após problema. Brigara com sua amiga Emily. A classe acabara de começar o programa de álgebra, e ela não estava entendendo a matéria. Seu trabalho de Estudos Sociais, sobre a ascensão da Alemanha nazista, tinha de ser entregue dali a dois dias, e ela ainda nem sequer o começara.

Imediatamente ativou-se meu quadro interno da "boa mãe". "Que espécie de mãe você é?" instou-me o velho quadro. "Não fique aí sentada. Sua filha está infeliz. Faça algo! Dê-lhe uma mão com a álgebra. Diga-lhe que ela é inteligente e que terminará o trabalho no prazo. Advirta-a para que não deixe novamente os trabalhos para a última hora. No que diz respeito à Emily, aconselhe-a a deixar o que passou pra lá."

Mas tive também acesso a um outro quadro, um mais novo, e que, por sorte, prevalecia sobre o velho. Então fiquei apenas sentada lá, dizendo pouco, ouvindo todos os sentimentos e pensamentos dela – alguns dos quais se repetiam e se repetiam. Devagarinho, ela começou a explorar algumas possíveis soluções. Mais uma vez, eu só ouvi. Aí, experimentalmente, propus uma sugestão. Não se resolveu nada, mas, depois de algum tempo, pude ver que a tensão abandonara o corpo dela. Enquanto eu arrumava as cobertas, disse: "Bom, sem dúvida alguma você teve um dia duro".

Ela tomou-me a mão e segurou-a por um momento. Beijei-a, apaguei a luz e já me preparava para sair do quarto.

Jill chamou-me novamente. "Mamãe!"

"Sim?"

No quarto escuro, eu quase podia senti-la procurando uma maneira de me dizer o que lhe ia na alma. Quando finalmente falou, ela estava com um tom solene. "Eu posso conversar com você... Você sabe o que eu acho?"

"O quê?"

"Acho que, se o Hitler tivesse você por mãe, não teria sido o Hitler."

Sorri. Será que ela realmente acreditava que sua mãe pudesse, sozinha, mudar o curso da História?

Então, reconsiderei o "cumprimento" dela. Na verdade Jill estava pagando tributo, não apenas à sua mãe em particular, mas a uma maneira de relacionamento entre seres humanos, uma maneira que a havia afetado profundamente, e à sua família.

Lentamente, comecei a compreender. Minha ingênua filha podia ter razão. E, se tivesse, se os sentimentos amorosos gerados por este processo fossem realmente bastantes para evitar um Hitler – então haveria esperança para quase todo mundo!

Curvei-me sobre ela e beijei-a uma vez mais. "Jovenzinha", disse eu, "você me deu muito em que pensar. Boa-noite".

Impressão e acabamento
(com filmes fornecidos)
EDITORA SANTUÁRIO
Fone (0125) 36-2140
APARECIDA - SP